P9-AOL-634

LES GRANDS ÉCRIVAINS FRANÇAIS

LAMARTINE

PAR

RENÉ DOUMIC
de l'Académie française.

SIXIÈME ÉDITION

LIBRAIRIE HACHETTE
79, BOULEVARD SAINT-GERMAIN, PARIS

A MADAME

LA COMTESSE JEAN DE NOBLET

NÉE DE MONTHEROT

Ce livre, en l'honneur de son arrière-grand-oncle,
est respectueusement dédié.

PREMIÈRE PARTIE

I

LA JEUNESSE

Alphonse-Marie-Louis de Lamartine de Prat naquit à Mâcon le 21 octobre 1790. Il appartenait à une vieille famille originaire de Cluny. Le grand-père, ancien capitaine de cavalerie, chevalier de Saint-Louis, possédait de riches domaines en Bourgogne et en Franche-Comté. C'était un personnage considérable. Il eut six enfants : trois fils, François-Louis, l'aîné, qui passa par l'école des chevau-légers, mais, à cause de sa mauvaise santé, se réduisit de bonne heure à administrer les biens de famille ; J.-B.-François, qui entra dans les ordres, sans vocation, et fut l'abbé de Lamartine; le cadet, Pierre, le chevalier, qui fut le père du poète; trois filles, Marie-Charlotte-Eugénie, qui fut désignée sous le nom de Mlle de Lamartine; Marie-Sophie qui s'appela Mlle de Montceau et vécut dans un état de demi-enfance; Marie-Suzanne qui, à quinze ans, entra au chapitre noble de Salles, en Beaujolais, et fut la chanoinesse du Villard.

Le chapitre de Salles était une de ces maisons charmantes, aménagées par la piété tolérante de l'Ancien Régime, maisons de retraite semi-religieuses et semi-mondaines, où les jeunes filles nobles attendaient l'heure de se marier et en trouvaient plus aisément l'occasion. Les frères et les cousins étaient autorisés à faire des visites, même des séjours : c'était un cadre à souhait pour un roman. Le chevalier de Lamartine, qui pour lors était capitaine de cavalerie, venait au couvent; il y remarqua une amie de sa sœur, Alix des Roys; elle était charmante, il s'en éprit. Le mariage eut lieu le 7 janvier 1790. En se mariant, le chevalier de Prat, qui recevait en dot la terre de Milly, quittait le service et venait s'établir à Mâcon, dans une petite maison, attenante à l'hôtel de famille. C'est là qu'allait naître Alphonse de Lamartine.

La Révolution n'avait, à ses débuts, éveillé que des sympathies dans cette famille de gentilshommes provinciaux; on y était tout ensemble partisan des réformes et fidèle à la royauté. Le 10 août, le chevalier de Lamartine, qui était accouru comme volontaire à la défense de Louis XVI, fut blessé dans la Cour des Tuileries. Incarcéré à la prison des Ursulines, à Mâcon, où furent également emprisonnés ses deux frères, il y resta jusqu'à ce que le 9 Thermidor ouvrît les portes des cachots de la Terreur. Il revint alors s'installer à Milly. C'est là que va commencer pour le futur poète cette éducation si particulière qu'il recevra des choses et des gens et qui mettra sur son imagination une empreinte si profonde.

Quand la famille, pareille à une tribu pastorale, vint prendre possession du coin de terre qu'elle allait cultiver, ce fut un tableau dont Lamartine se rappela toujours la naïveté champêtre et antique. Dans de lourds chariots à bœufs s'entassaient femmes, enfants, serviteurs, bagages. Le père allait à pied, ses deux chiens tenus en laisse. « Tout cela formait une longue colonne d'équipages baroques roulant dans la boue. Les aiguillons des bouviers, les gémissements et les regimbements des bœufs, les clameurs épouvantées des femmes, le rire des enfants dans les chars faisaient un spectacle moitié pittoresque, moitié touchant. » C'était la préface d'une existence qui allait être toute patriarcale.

Le pays où l'on entrait n'était ni riant, ni plantureux : un sol aride, des collines nues plantées de vignes maigres. « On s'élève par une pente tournoyante, mais rapide, vers des masures couvertes de tuiles rouges qu'on voit groupées au-dessus de soi sur un petit plateau. C'est notre village. Un clocher de pierres grises, en forme de pyramide, y surmonte sept à huit maisons de paysans. Un chemin pierreux s'y glisse, de porte en porte, entre ces chaumières. » Il mène à une cour de ferme, au fond de laquelle on accède, par un perron de cinq marches de pierre, usées et disjointes, à une maison basse et massive, d'un seul étage. Elle n'a, cette demeure des Lamartine, rien d'un château ; située

au milieu des maisons de paysans, elle n'est que l'une d'elles, seulement un peu plus vaste que les autres : c'est l'habitation du maître au milieu des serviteurs, groupés autour de lui par la communauté des intérêts et la similitude des travaux comme par les liens d'une affection ancienne et familiale.

Telle est en effet la condition des Lamartine, à mi-chemin entre la noblesse et le peuple des campagnes. Le poète en aimait la modestie : « Dieu m'a fait la grâce de naître dans une de ces familles de prédilection qui sont comme un sanctuaire de piété... famille sans grand éclat, mais sans tache, placée par la Providence à un de ces rangs intermédiaires de la société où l'on tient à la fois à la noblesse par le nom et au peuple par la modicité de la fortune, par la simplicité de la vie et par la résidence à la campagne, au milieu des paysans, dans les mêmes habitudes et à peu près dans les mêmes travaux. » Lamartine doit beaucoup à cette origine, et il le sait.

Imaginez une enfance de petit paysan bourguignon. C'étaient des journées entières, passées en liberté, à courir dans les vignes, à garder les troupeaux dans la montagne. Les saisons ramenaient la succession réglée de leurs travaux, labour, semailles ou moisson ; une surtout, la saison des vendanges, résumait l'activité de ce pays de vignobles. Tout prenait un aspect de vie laborieuse et de saine gaieté. « Les plus alertes filles des villages voisins... s'acheminaient en chantant, leurs celliers sur la tête ou leurs corbeilles à la main,... dans les étroits sentiers des vignes.... La joie ruisselait, comme le vin, de colline en colline. » La vendange terminée, c'étaient les longues soirées qui commençaient, occupées à casser les noix ou à filer le chanvre. Tantôt accompagnant la vendange qui s'entassait sur les chariots, tantôt conduisant les bœufs avec l'aiguillon du bouvier, le jour regardant battre le blé, et le soir prêtant l'oreille aux contes de la veillée, l'enfant se mêlait intimement à la vie et au labeur des champs : « Jamais homme ne fut élevé plus près de la nature et ne suça plus jeune l'amour des choses rustiques. » C'est là chez Lamartine le fond premier.

Les impressions qu'il recevait ainsi des choses champêtres lui arrivaient avec cette fraîcheur et ce charme où l'on reconnaît une sensibilité qui s'éveille. Chateaubriand l'a dit : « Le matin de la vie est comme le matin du jour, plein de pureté, d'images et d'harmonie. » C'est pourquoi les écrivains qui sauront peindre « la nature » sont pour la plupart ceux qui ont ouvert sur elle des yeux d'enfants, dans la joie des premiers émerveillements. Mais ni Rousseau, ni Chateaubriand, ni George Sand n'auront eu le privilège d'une vie aussi vraiment campagnarde. De ce trésor de sensations accumulées sans dessein, au jour le jour et tous les jours, dans une âme toute neuve, jaillira plus tard un flot d'images inépuisable. Ces images seront justes parce que les tableaux qu'elles évoquent, le poète les a eus sous les yeux réellement ; elles seront abondantes, aisées, spontanées, parce que de tout temps chez Lamartine se sont associés aux émotions de l'âme les aspects du paysage; on n'y découvrira ni effort, ni parti pris, ni artifice littéraire, parce que Lamartine n'a pas feuilleté le livre de la nature en auteur qui veut lui emprunter des comparaisons pour en orner son style. Cela distingue Lamartine de tous les poètes qui l'avaient précédé, formés dans les collèges et qui vivaient dans les salons, et aussi bien de tous ceux qui l'ont suivi. Le sentiment direct de la nature n'apparaît que tard chez Hugo et chez Vigny, et il est parfaitement étranger à la muse parisienne d'Alfred de Musset; mais, dès son premier éveil, la poésie de Lamartine est tout imprégnée de parfums, pénétrée de souffles, brillante d'images, ou gracieuses ou mélancoliques, qui reflètent les mille visages de la nature.

Dans ce milieu pastoral, où l'on vit beaucoup de son propre fonds, l'action de la famille, celle du père, de la mère, des sœurs, doit se faire d'autant plus profondément sentir. Le père de Lamartine était de ces hommes dont le portrait tient en deux mots : probité et modestie. Dans la vie comme au régiment, il était l'homme de la consigne. Retiré sur ses terres, où il vivait en soldat devenu vigneron, il ne voyait rien au delà du bon gouvernement de son petit domaine. Personnage effacé, figure de second plan, il avait toutes les qualités solides sans aucun mérite brillant, beaucoup de bon sens et de droiture, aucune initiative, une habitude de gravité qui rendait sévère sa tendresse elle-même.

Infiniment plus complexe, plus curieuse et plus attachante est la psychologie de Mme de Lamartine; et cette mère a mis tant d'elle-même dans l'âme de son fils qu'on ne saurait trop s'attacher à la bien connaître. Elle est l'un des types les plus achevés et les plus délicieux de la femme chrétienne, épouse et mère toute à ses devoirs, soucieuse de rendre autour d'elle la vie souriante, maîtresse de maison attentive, aumonière malgré la modicité de ses ressources, connue et bénie dans les chaumières les plus pauvres. Elle avait été élevée en mondaine au Palais-Royal et à Saint-Cloud; quand son mariage eut fait d'elle une ménagère campagnarde, elle accepta volontiers sa nouvelle existence, mais en y transportant, pour l'égayer et la relever, un peu de ses anciennes habitudes et de son élégance. Grandie dans une société saturée d'esprit philosophique, elle avait beau être restée chrétienne, son horreur pour les philosophes n'empêchait pas qu'il ne s'insinuât un peu de leur philosophie dans sa piété. D'une haute raison, active, laborieuse, vaillante comme les femmes de l'ancien temps, elle avait été quand même effleurée par la mélancolie du siècle. Un trait domine chez elle : le goût qu'elle avait pour la vie intérieure. Chaque jour, elle consacrait à la méditation solitaire une heure que tous autour d'elle s'accordaient à respecter. Nous en avons comme témoignage ces cahiers de notes dont Lamartine a publié une partie sous le titre de *Manuscrit de ma mère*, et qui tiennent à la fois du livre de raison et de l'examen de conscience. Comme il arrive aux natures très délicates, elle était scrupuleuse jusqu'à en souffrir, et ce mal du scrupule se traduisait chez elle en timidité, appréhension de l'avenir, regret et repentir de ses décisions, habileté à empoisonner son propre bonheur : « Je suis trop heureuse, quelquefois cela m'effraie.... Voilà comme les mères empoisonnent même leur bonheur. » Elle ne trouvait le repos que dans une absolue confiance en Dieu. Elle rapportait à Lui toutes ses pensées. La piété était l'atmosphère où elle se mouvait. Ce mélange de distinction et de rusticité, de raffinement et de simplicité, d'inquiétudes et d'humeur souriante, ces habitudes de repliement sur soi, que ne contrarie pas la perpétuelle effusion d'amour, d'adoration et de reconnaissance, voilà ce qui nous rend si aimable cette mère pieuse et tendre.

Quand on lit le *Manuscrit de ma mère*, on est frappé d'y trouver des pages déjà toutes lamartiniennes, celle-ci par exemple où la charmante femme s'est peinte sans le vouloir : « Je jouis de ma solitude. Je suis seule à Milly avec mes enfants et mes livres ; ma société est Mme de Sévigné. J'ai fait une grande promenade, ce soir, sur la montagne de Craz, qui est derrière la maison, au-dessus de nos vignes. J'étais toute seule ; c'est mon plaisir dans ce temps-ci, le soir, de m'égarer seule, ainsi, bien loin.

J'aime le temps d'automne et les promenades sans autre entretien qu'avec mes impressions : elles sont grandes comme l'horizon, et pleines de Dieu. La nature me fait monter au cœur mille réflexions et une espèce de mélancolie qui me plaît ; je ne sais ce que c'est, si ce n'est une consonance secrète de notre âme infinie avec l'infini des œuvres de Dieu. »

Cette prédilection pour le temps d'automne et l'heure crépusculaire, ce penchant à la mélancolie, ce goût de la rêverie qui peuple la solitude de toutes sortes d'impressions, de souvenirs et de vagues espoirs, mais surtout cette sensation d'une correspondance intime et mystérieuse entre l'infini de l'âme et l'infini de la nature, n'est-ce pas déjà le Lamartine des *Méditations*? On voit ce que le poète a hérité de sa mère, et c'est le meilleur de lui-même : sa sensibilité.

A cette affinité d'âme s'ajoutera l'effet d'une influence réfléchie et continue, quand la mère deviendra l'éducatrice. Tout l'enseignement qu'elle donnait à ses enfants tendait à les pénétrer « du sens religieux et caché de la création ». La façon dont, en bonne élève de Bernardin de Saint-Pierre, elle leur expliquait les harmonies de la nature, la constitution des éléments, la vertu des plantes et la destination des insectes, n'était peut-être pas très scientifique; mais il en sortait « un immense sentiment de la Providence ». C'était où elle revenait sans cesse, parce que c'était l'essentiel de son christianisme : « Dieu visible à travers son œuvre »

« La prière, mais la prière rapide, lyrique, ailée, était associée aux moindres actes de notre journée. » C'est la source d'où jailliront quelque jour les *Harmonies*.

Évoquez maintenant autour de l'enfant le groupe de ses cinq sœurs. Faut-il en croire un poète et un frère, quand il nous en trace de si séduisants portraits : Cécile, la beauté populaire de la famille, celle qu'on aimait à voir passer dans les rues; Eugénie, une apparition d'Ossian, celle qui, par la poésie et la mélancolie de son caractère, se rapprochait alors le plus de Lamartine: Suzanne, la madone de Raphaël, la vierge chrétienne, le tableau d'autel; Césarine, beauté méridionale, jeune fille romaine éclose par un caprice du hasard dans un nid des Gaules; Sophie, une figure des bords du Rhin? Récuserons-nous le témoignage de la mère, si fière de la beauté de ses filles? Mais, au dire de Sainte-Beuve, Royer-Collard « qui avait, en ce temps, l'occasion de voir Lamartine avec ses sœurs sous l'œil de la mère, ne pouvait s'empêcher de comparer cette jeune famille aimable et d'un essor si naturel, à une couvée de colombes ». Ce qui a manqué à beaucoup d'hommes, et à beaucoup d'écrivains, c'est justement d'avoir eu, dès les premières années, autour d'eux ces blancheurs de colombes. Lamartine en conservera, pour toujours, un sentiment inaltérable de la pureté. Il aura la fine intelligence des choses du cœur et le goût de la tendresse, avec une distinction et une élégance naturelles, qui sont chez lui un effet de l'influence féminine autant que de l'aristocratie native. Et plus tard, poète ou romancier, il écrira comme on fait quand on devine, penché sur la page commencée, un doux visage de femme.

Cette éducation est-elle d'ailleurs à l'abri de tout reproche? Était-elle sans danger? Alix des Roys avait, au Palais-Royal et à Saint-Cloud, partagé avec les princes les leçons de Mme de Genlis. Mme de Lamartine « avait puisé ses idées sur l'éducation dans Jean-Jacques Rousseau et dans Bernardin de Saint-Pierre ». Elle appliquait à son fils un système, celui de l'*Émile*. Le principe en était de bannir toute contrainte et de supprimer le sentiment de l'effort : « Je n'avais jamais à lutter ni avec moi-même, ni avec personne. Tout m'attirait, rien ne me contraignait. Le peu qu'on m'enseignait m'était présenté comme récompense.... Tout cela se faisait en jouant, aux moments perdus, sur les genoux, dans le jardin, au coin du feu du salon, avec des sourires, des badinages, des caresses. » — On avait soin que toutes les images de la vie, qui s'inscrivaient dans le cerveau de l'enfant, fussent aimables et riantes : « J'avais déjà dix ans que je ne savais pas encore ce que c'était qu'une amertume de cœur, une gêne d'esprit, une sévérité du visage humain. » La religion même se faisait « facile » et « séduisante ». Ainsi Lamartine est façonné depuis toujours à cet optimisme qui s'accorde si bien avec les riches facultés de son heureux génie. Plus tard, il prendra de chaque sujet la fleur : il cueillera tout ce qu'il peut atteindre d'un geste aisé et rapide; il dédaignera de poursuivre ces sortes de beautés qui ne s'obtiennent qu'à force de labeur. Dans toute entreprise il apportera la vertu et les ressources magnifiques du premier élan, pour se lasser très vite. Doué d'une confiance imperturbable et sereine dans la bonté des hommes, il concevra leur histoire à la manière d'une immense idylle, et situera leur avenir en ce pays d'Utopie qui est la patrie de son imagination.

On commet au surplus une grave erreur quand on répète que cette éducation dut avoir pour effet d'amollir chez lui la trempe du caractère. Lamartine enfant ne fut pas un enfant de chœur : le fade et le doucereux n'est pas du tout son genre. Ce que constate sa mère à plusieurs reprises, c'est qu'il « manque de patience », « qu'il a le caractère trop fier et trop impérieux », qu'il est « difficile à gouverner ». Le fait est que la liberté d'une enfance passée à la campagne et l'indulgence maternelle l'avaient doublement rendu incapable de toute discipline.

On le vit bien quand on essaya de le plier à une règle et de le mettre à des études suivies. On l'avait d'abord envoyé avec quelques camarades chez le curé d'un village voisin, Bussières. Le curé était trop vieux; son neveu, l'abbé Dumont, était trop jeune ou trop fantaisiste. Les enfants confiés à leurs soins n'apprenaient rien. Il fallut s'enquérir d'un mode d'instruction plus sérieux. Il y avait alors, à Lyon, une institution en vogue, l'institution de la Caille, tenue par le sieur Pupier : c'est là qu'Alphonse de Lamartine fut conduit, à la rentrée de 1800. Le tableau qu'il en a tracé par la suite est poussé au noir : l'écolier y fut moins malheureux qu'il ne lui semblait, à distance, l'avoir été. Toutefois, il est exact que sa prison lui fut intolérable; nous en avons la meilleure preuve : il se sauva. C'était au mois de décembre 1802. On le rattrapa; on le mit au cachot; on eut toutes les peines du monde à lui faire écrire une lettre d'excuses. Cette révolte, cette fugue, cette obstination nous le montrent dans son véritable caractère, avec cette âpreté d'indépendance qui effrayait sa mère.

C'est au collège de Belley qu'il trouva la seule maison d'éducation qui lui convînt. Comment Mme de Lamartine avait-elle obtenu de l'oncle voltairien qu'il consentît à confier le jeune homme aux Pères de la foi, c'est-à-dire aux jésuites? C'est son secret. Toujours est-il que, vers la fin d'octobre 1803, elle accompagna son fils de Mâcon à Belley. La route les enchanta. Le collège était bâti sur la pente d'une colline; de son lit, le collégien pouvait apercevoir « les prairies en pente à demi voilées de saules et de frênes »; par delà les murs, il retrouvait « l'horizon champêtre et pittoresque » : ce fut pour lui le premier attrait d'un tel séjour. La bonté indulgente des Pères lui rendait l'agrément et la chaleur du foyer tant regretté. Leur piété continuait dans l'âme du jeune homme l'œuvre de la piété maternelle : « Je vivrais mille ans, que je n'oublierais pas certaines heures du soir où, m'échappant pendant la récréation des élèves jouant dans la cour, j'entrais par une petite porte secrète dans l'église déjà assombrie par la nuit... et je m'abîmais en Dieu ». Il s'accommoda d'un enseignement tout littéraire qui négligeait les sciences et l'histoire, mais tenait en honneur les lettres anciennes, le discours, la poésie. Il paraissait avec avantage dans les exercices publics, et revenait aux vacances chargé de premiers prix et de couronnes. Son maître principal fut, avec le Père Vrindts qui lui enseigna la philosophie, le Père Béquet, qu'il suivit en seconde et en rhétorique. C'était « un Fénelon de hasard dans une école de montagne ». Ce fut lui qui, un jour de 1806, fit aux jeunes gens groupés autour de sa chaire une lecture destinée à produire sur eux une si grande impression : « Le Père frappa sur son livre et commença : « Il est un Dieu. L'impie seul a dit : il n'y a pas de « Dieu. » La grandeur des idées, la pompe des mots nous saisirent. La voix solennelle du Père, les larmes qui semblaient poindre de son cœur ou trembler dans sa poitrine, la nouveauté de ces accents, la sainteté de ces délices enivraient nos oreilles et captivaient nos imaginations. » C'est ainsi que ces maîtres, attachés à la tradition des vieilles humanités, laissaient pourtant venir jusqu'à leur élève des bouffées de la littérature nouvelle.

Belley rendit encore à Lamartine un autre service : il y forma ces amitiés qui devaient tenir tant de place dans sa vie. Aymon de Virieu l'avait séduit par le contraste même de leurs natures.... « Il était gai, j'étais sérieux; turbulent, j'étais calme; sceptique, j'étais pieux; mais il avait un cœur tendre sous son apparente rudesse, et un esprit supérieur.... » Louis de Vignet, neveu des de Maistre, « était triste et renfermé en lui-même... il avait la physionomie taciturne de l'homme déjà accablé sous la mélancolie qui souffre. Sa figure était celle de Werther. » Aux vacances de 1804, Lamartine avait été invité avec Aymon de Virieu chez Guichard de Bienassis. Par malheur, il y avait au château une bibliothèque bien fournie des livres libertins du siècle précédent : les trois amis ne se firent pas faute d'y promener leur curiosité. C'est avec ces trois amis qu'il va entretenir cette correspondance, si personnelle, si intime, qui est pour sa biographie la source la plus précieuse, et qui nous apportera, pour les années qui viennent, la confidence de ses projets, de ses rêves, de ses tristesses.

Il était resté quatre ans à Belley, de 1803 à 1807. Il n'en emportait que de bons souvenirs. Toutefois la reconnaissance qu'il gardait à ses éducateurs « modèles de sainteté, de vigilance, de paternité, de tendresse et de grâce », le cédait à un autre sentiment : la joie de sa liberté recouvrée. Il a dix-sept ans, il se sent un ardent besoin de vie active et laborieuse. Il voudrait prendre un état, et celui qui le tente le plus est l'état militaire. Mais ses parents, royalistes, n'admettent pas qu'il serve l'Empereur. On ne se presse ni de l'envoyer à Paris, ni de l'autoriser à faire son droit. Il va rester dans sa province, n'ayant d'autre ressource que l'étude pour remplir ses longs loisirs. Est-il à la campagne, à Saint-Point ou à Milly? « A une heure, comme au bon vieux temps, on se rassemble et l'on dîne; après le dîner, une heure de conversation; quelquefois on joue, et moi, prenant un livre dans ma poche, mon fusil sous mon bras et mon Azor avec moi, je m'esquive, soit dans la forêt, soit dans la prairie, je choisis un endroit ombragé et frais, je m'assois, et, quand mon chien dort à côté de moi, que rien ne trouble mon petit asile, je lis. » A Mâcon, l'étude lui est plus que jamais nécessaire pour combattre l'ennui : « Je me lève à six heures, j'étudie jusqu'à neuf; je monte à cheval jusqu'à midi; je dîne. Une heure après le dîner, je prends une leçon de danse, une autre de musique, une de mathématiques et une de dessin (1808). » L'année suivante la part faite au travail est plus grande encore : « A six heures du matin, je me mets à mon travail.... J'en sors à une heure pour dîner... Je me remets aussitôt après à la musique et à la lecture jusqu'à six ou sept heures. Voilà-t-il pas une vie d'homme de lettres? » C'est qu'il ne prend pas son parti de mener l'existence « du plus sot, du plus plat, du plus ignorant bourgeois de petite ville ». A Lyon, où il passe les hivers de 1809 et 1810, il se trouve moins à plaindre; il a un bon maître d'anglais; il est abonné au théâtre qu'il « aime à la folie »; il a des relations, surtout parmi les artistes « ces gens qui ne sont pas sûrs de dîner demain, mais qui ne troqueraient pas leur taudis philosophique, leur pinceau ou leur plume pour des monceaux d'or ». Il apprécie surtout son « incomparable liberté ».

Comme on le voit, la lecture est alors sa grande occupation; il en a la passion; c'est elle qui, pendant des années, va être son éducatrice presque unique. On ne saurait trop insister sur ce point. Cherchons donc quels sont ces livres dont « ses poches sont toujours pleines », quelles révélations successives ils ont apportées à son esprit ardent et neuf, et voyons grâce à eux se former l'intelligence et se déterminer la sensibilité de l'écrivain. Comme il est tout frais émoulu de ses classes, il continue ses admirations de collège : il relit Homère et Virgile, Montaigne qui, pour un temps, sera son « ami », Molière, Regnard, La Fontaine dont il est prêt à faire « son auteur », enfin et surtout Voltaire. Son goût pour Voltaire poète est très frappant : il le lit; il le cite; il l'imite; il en est — et il en restera — tout imprégné. Il pratique assidûment les petits poètes du XVIIIe siècle finissant, les élégiaques et les érotiques : Gilbert, Parny, Bertin. Mais voici la part des nouveautés. D'abord les lectures étrangères : les Italiens, l'Arioste et Alfieri; les Anglais, Pope, Richardson, Sterne, Young, Ossian. Puis ce sont un à un les livres essentiels qui transformaient alors la littérature, et qui vont faire entrer l'avide lecteur dans le grand courant moderne. Mentionnons seulement les *Martyrs* qui ne lui font d'abord qu'une impression assez mélangée : « J'ai fini à peu près les *Martyrs* : sunt mala, sunt eximia » ; et ne voyons dans l'enthousiasme où le jettent les poésies de Clotilde de Surville qu'une preuve de ce goût qui régnait alors pour la fausse naïveté et le bric-à-brac de littérature archaïque. Mais *Corinne* le transporte « dans un autre monde, idéal, naturel, poétique ». Il y retrouve les pensées et les sentiments dont il portait en lui l'ébauche ou le désir, « ces pensées si pures et si nobles auxquelles je ne pouvais presque plus croire sans me regarder comme un fou, un *original*.... Cet amour de la nature et des beaux-arts, jusqu'à présent ma seule passion, et cet amour désintéressé, sincère, abandonné, vrai et puissant, que je concevais sans cependant l'espérer, ni en voir d'exemples. » Les *Confessions* de Jean-Jacques Rousseau, où il apprécie surtout « les descriptions ravissantes de ses courses pédestres » ; *Émile*, un livre dont il veut faire « son ami et son guide » ; la *Nouvelle Héloïse* : « Grands dieux ! Quel livre ! Comme c'est écrit ! Je suis étonné que le feu n'y prenne pas.... Pour un jeune homme qui en est où nous en sommes, c'est le meilleur livre que nous puissions lire, c'est celui qui est le plus capable d'inspirer des sentiments nobles et vrais. » Il y a deux livres qu'il relit avec une émotion particulière : c'est *René* : « Jamais je n'ai pu le lire sans pleurer » ; et c'est *Werther* : « Il m'a fait la chair de poule.... Voici l'automne : c'est le temps où je deviens amoureux, mélancolique, rêveur, ennuyé de la vie : c'est le temps où je lis *Werther* et où je suis souvent tenté d'imiter cet aimable et malheureux héros de roman. » Quand il est dans ces dispositions, Montaigne lui devient insupportable : « C'était un homme heureux et glorieux, tout fier d'être citoyen de Bordeaux, n'ayant jamais senti le malheur.... Je l'ai aimé tant que je n'ai rien eu dans le cœur. » Cela n'avait pas duré longtemps.

On aurait tort d'ailleurs de se représenter Lamartine, en aucun temps de sa vie, sous les traits d'un rêveur mélancolique. Tristesse et langueur ne sont pas sa pente naturelle; elles ne seront chez lui que l'effet d'une crise passagère, le résultat du besoin d'activité — ou, et comme il dit, d' « action » — non satisfait. Ce « grand diable de Bourgogne » ne peut souffrir la « vie de fainéant » à laquelle il est condamné par les scrupules de sa famille et l'entêtement de ses oncles. En revanche, il est, comme le Chateaubriand de Combourg, tourmenté de désirs : « L'incertitude, le vague de mon existence présente et future, tout cela me fait languir et me fera mourir.... Pour me donner le change... je marche, je vais, je cours de la ville à la campagne, de la campagne à la ville, à midi, à minuit, par la pluie, par le soleil; je tâche de tromper mon imagination, de la détruire, de la glacer, mais en vain! » Dans son journal, Mme de Lamartine note cet état d'esprit. Son intelligente sollicitude s'inquiète de cette « oisiveté dangereuse où la famille le laisse.... Ses passions commencent à se développer... il est agité, mélancolique, il ne sait ce qu'il désire.... » Il ne le sait, mais nous le savons pour lui : c'est l'amour dont le pressentiment l'agite et dont le désir le rend inquiet et gémissant.

Ce n'est pas qu'il n'eût commencé par en douter, et même par en désespérer. Il ne trouve plus « rien de digne d'une passion, rien que des petites effrontées, impudentes, coquettes, rien que des petites ignorantes, imbéciles, malignes, médisantes, sottes, laides. » Il est d'avis qu' « il n'y a plus d'amour véritable ». Il y renonce. C'était un peu tôt, et on sait ce que valent ces serments. Aussi est-ce sans aucune espèce d'étonnement que nous trouvons, à quelques jours de là, ces lignes passionnées : « Me voilà pris, me voilà mort! J'aime et j'aime sans espérance.... Ce n'est point une beauté que j'aime à présent, mon ami, mais c'est toute l'amabilité, toute la sagesse, toute la raison, tout l'esprit, toute la grâce, tout le talent, imaginable ou inimaginable.... J'en mourrai, je le sens. » Ces lignes sont du mois de décembre 1809. Ce grand amour est-il celui dont l'auteur des *Confidences* a fait le délicieux épisode de Lucy L., l'innocente équipée des deux jeunes gens qui s'aimaient en Ossian? Il s'agissait en réalité d'une jeune fille que Lamartine avait rencontrée l'hiver au bal, à Mâcon : Henriette P., fille du médecin de la famille. Il songeait à l'épouser : « Je vais prendre incessamment un parti violent pour obtenir sa main à vingt-cinq ans. » Ce parti serait, par exemple, d'entrer au service — et de se faire tuer. La famille jugea qu'il n'était que temps d'aviser : elle proposa au grand amoureux un petit voyage en Italie. Il accepta d'enthousiasme.

Le voyage, c'était pour lui le mouvement, le changement, l'inconnu, l'espoir des aventures, la chère liberté! Et c'était le départ pour un pays vers lequel l'attiraient le prestige de la mode, les souvenirs littéraires et, par-dessus tout, une sympathie secrète. Quelque plaisir qu'il se fût promis, la réalité passa son imagination. A chaque nouvelle étape, son émotion grandissait. Parti dans la seconde quinzaine de juin 1811, il avait traversé Chambéry, et, de compagnie avec Vignet, il était allé en pèlerinage aux Charmettes pour célébrer le culte de Rousseau et de Mme de Warens. Les Alpes et Turin l'avaient ravi. A Livourne, il vit la mer pour la première fois. Il resta une quinzaine de jours à Florence et arriva à Rome, le 1er novembre. C'est là qu'il eut la révélation. Turin, Gênes, Livourne, Florence même, pour lui ce n'était pas l'Italie. A Rome, enfin, il la découvrait. Parmi les carnets où le jeune voyageur notait au jour le jour ses impressions, nous avons eu la bonne fortune de retrouver celui qui est consacré aux impressions de Rome et de Naples. En voici les premières lignes :

« Roma, 1er novembre. Je suis arrivé à Rome, la nuit du 1er novembre; il faisait le plus beau clair de lune; les dômes, les hautes têtes des pyramides et surtout le superbe dôme de Saint-Pierre se dessinaient parfaitement sur un fond du bleu le plus pur; le plus parfait silence régnait dans tous les environs déserts de cette belle et triste ville. A droite et à gauche, j'apercevais quelques débris de temples ou de palais, quelques fûts de colonnes renversées et partout l'image effrayante et sublime d'une splendeur qui n'est plus. »

Sa première visite est pour Saint-Pierre d'où il sort, l'imagination « écrasée non point par la masse, mais par la beauté ». De Saint-Pierre il entre au Vatican. En parcourant ses galeries, il s'accoutume « à distinguer le goût antique du moderne : c'est la *divine simplicité* qui en est la différence la plus infaillible et le cachet le plus sûr ». Sa visite au Capitole le déçoit; il déplore cette manie de remplacer les souvenirs de l'antiquité par des constructions modernes : « Il semble que les hommes se plaisent à enlever à leurs ancêtres jusqu'à leurs noms, jusqu'à la trace de leurs ouvrages ». Très pénétré du goût alors régnant pour la poésie des ruines, il aime à rêver parmi les débris des palais et des temples et à évoquer la Rome d'autrefois :

« Quel beau coup d'œil vous reste encore à Rome, le soir, au coucher du soleil, si vous venez vous asseoir sur l'élévation qui est derrière le Capitole, auprès des cinq colonnes superbes dont on découvre à présent la tête seule, et en face du Colisée dont le sommet est encore éclairé par le couchant! Que d'idées ne réveille pas cette magnificence dont il ne reste que les témoignages! Quel beau rêve on peut faire sur la grandeur, la beauté, la puissance de Rome antique! Avec quelle facilité on peut rebâtir toute cette immense étendue! Voilà le plus bel amphitéâtre qu'aient pu bâtir les hommes. Voilà les voûtes et les ruines du palais d'or de Néron. A droite, voilà l'antique palais des Césars. A mes pieds, le temple de la Concorde et l'arc de Septime-Sévère. Plus loin, l'arc de Titus et celui de Constantin. A ma gauche, s'ouvrent les trois superbes voûtes du temple de la Paix qui disait autrefois le sort de l'Univers. Ici c'est une belle colonne isolée qui semble pleurer sa sœur, là une urne de fontaine antique, là le temple de Faustine. Une foule d'autres ruines sont confondues dans les fabriques modernes; de singuliers accidents, des jeux bizarres du hasard, de sublimes contrastes frappent à chaque instant les yeux; au milieu de tout cela circule une population nouvelle, diamétralement opposée à l'ancienne : les hommes dans cet étonnant pays ont plus encore changé que les édifices; on ne retrouve plus de traces du caractère romain sur les bords du Tibre et tout y est mort, jusqu'à ce fier orgueil républicain qui s'est changé en une vile et servile vanité, le seul trait prononcé du caractère romain. »

A Frascati — autrefois Tusculum — il espérait trouver la nature : il n'aperçoit que des palais magnifiques avec des jardins péniblement travaillés. Mais Tibur l'enchante :

« Quel rêve agréable, je viens de faire! Car cela me paraît un rêve. J'ai vu ce Tibur si fameux, si cher aux amis des poètes et de la nature! J'ai vu le *præceps Anio*, tantôt doux et sinueux, tantôt rapide et sublime! Je l'ai vu se précipiter tout entier et d'un seul jet, d'une distance énorme, tomber en poussière humide et faire trembler les rivages du bruit de sa chute; je l'ai vu se perdre dans les rochers, sous des grottes charmantes recouvertes d'une verdure toujours fraîche; je l'ai vu en ressortir calme et limpide, puis reprendre sa course, se diviser en plusieurs ruisseaux, bondir sur des rochers moins âpres, couler sur le gazon et s'étendre comme un large lit de neige dans la prairie. J'ai visité sur ses bords la petite villa d'Horace... »

Naples le ravit plus encore. Il y arriva dans la nuit du 1er décembre. Rome était belle par les monuments, Naples l'est par le paysage, et c'est pourquoi il la préfère :

« Là j'ai vu des paysages dont rien ne peut donner une idée dans aucun autre pays du monde. Ni la France, ni la Suisse, ni les plus belles montagnes des Alpes ne sont, au lever du soleil, environnées d'une vapeur dorée et qui adoucit et colore tous les objets; j'ai vu, par une belle journée, une pluie de lumière environner les montagnes de Pausilippe et de Salerne. Vers le milieu du jour, la teinte devient plus argentée et, le soir, elle redevient couleur d'or. »

Même note dans la correspondance. Lamartine ne tarit pas d'éloges sur « ce plus beau spectacle du monde entier, qui ne sortira plus de son imagination.... Les mots me manqueraient pour te décrire cette ville enchantée, ce golfe, ces paysages, ces montagnes uniques sur la terre, cet horizon, ce ciel, ces teintes merveilleuses. » Peu à peu, il se laisse envahir par cette atmosphère de délices et de mollesse : « C'est l'air du pays : je deviens un vrai lazzarone.... Je ne vais ni dans la société ni même aux théâtres. » Hélas! il allait au tripot. Se trouvant sans ressources, il n'éprouva aucun scrupule à en demander au jeu : « Je suis sans le sol. Je viens de me mettre à jouer. J'ai gagné en deux jours une quarantaine de piastres. » Non, Lamartine à vingt ans n'est pas le vertueux Grandisson.

Depuis le commencement de janvier 1812, il était allé habiter chez un de ses parents, M. Dareste de la Chavanne, directeur de la manufacture royale des tabacs. Il y rencontra une jeune fille, presque une enfant, employée dans la maison. C'était Graziella. Elle lui plut. Si l'on dépouille cet épisode de la couleur poétique que l'imagination de Lamartine devait lui prêter plus tard et à distance, il reste l'aventure la plus banale. Graziella était la fille d'un pêcheur de Procida : Lamartine s'étant éloigné de Naples pour assister à une éruption du Vésuve, dépitée elle s'enfuit dans son île natale : le jeune homme l'y alla rechercher. Cependant, à Milly, on commençait à s'inquiéter : au mois d'avril, Virieu, qui avait rejoint son ami à Naples, fut prié de le renvoyer à sa famille. L'idylle avait duré trois mois : elle n'eut pas de dénouement tragique. Lamartine avait promis de revenir : il emportait le mouchoir de cotonnade rouge qui enserrait les beaux cheveux de la Procitane, et qu'on garde encore à Saint-Point. Elle espéra son retour sans trop y croire, et ne mourut pas de son absence. Ni pour l'un ni pour l'autre, il n'y avait eu de déchirement. Dans son amour pour la fille du pêcheur, le jeune homme n'avait mis que son goût du plaisir et l'élan de sa première jeunesse. Le souvenir qu'il en emportait se distinguait à peine pour lui de celui des choses mêmes qu'il venait de quitter : il se confondait avec la tiédeur de l'air, avec la douceur d'une vie instinctive et voluptueuse. Quelques années plus tard, retournant à Naples, il l'appellera « le pays de la pure et brutale volupté. Naples ressemble plus à l'Asie qu'à l'Italie : il n'y a que les délices du corps. » Sa sensibilité n'avait pas été remuée profondément. Il revint par Milan, le lac Majeur, les îles Borromées, Lausanne. Sur le chemin du retour, il note en lui « ce vague désir d'amour et de bonheur qui nous tourmente ». Bonheur, amour, lui sont encore inconnus.

Toutefois ce voyage avait eu sur lui une grande influence et qui se traduisit par de multiples effets. D'abord il élargit son horizon, il développa et libéra son imagination. Il lui découvrit une nature nouvelle, plus séduisante et plus brillante que sa Bourgogne et que son Mâconnais. Il lui montra la montagne et la mer, les Alpes et la Méditerranée. Il lui révéla cette lumière pure et douce, où les contours se fondent, où les lignes s'adoucissent, où les teintes s'harmonisent, et qui devait être l'atmosphère en accord avec son pur et suave génie. Comme l'a finement remarqué M. Ch. de Pomairols, Milly est un pays sec, absolument sans eau. Et il se trouve que la caractéristique du génie de Lamartine, c'est la fluidité, l'abondance souple : les grâces des eaux reviennent sans cesse sous sa plume : sa pensée se fond et se dilue en images liquides. Bien loin qu'il y ait accord, il y a contradiction entre les spectacles habituels de son enfance et les préférences de son goût d'artiste. L'Italie est la patrie de son imagination : Milly n'est que celle de son cœur. Mais le plus sûr profit de tout voyage est de nous faire découvrir aux choses de chez nous un charme que nous ne leur soupçonnions pas : c'est au retour de Naples que Lamartine prit pleine conscience de ce qui l'attachait à sa terre natale. Un résultat imprévu du séjour aux rives enchantées, ce fut de lui faire découvrir la poésie de l'humble vallon et du coteau maigre de Milly, de ce pli de terrain où son cœur était enfermé.

Le voyage en Italie n'avait été qu'une distraction temporaire, un bref enchantement. Revenu en France, Lamartine y retrouve toutes ses tristesses. Quelques jours passés à Paris ne lui apportent nullement la distraction qu'il en attendait : « J'ai été passer trois semaines à Paris pour me secouer un peu. Je m'y suis ennuyé tout comme ici, tout comme à Dijon d'où j'arrive. Oh! que la vie me paraît longue!... Où fuir pour éviter le cruel ennui qui me ronge? » L'année suivante, le retour des Bourbons lui offre l'occasion de prendre du service : il entre dans la maison du Roi, sans enthousiasme ; il tient garnison à Beauvais et à Paris; mais le métier l'ennuie; il y renonce, une fois pour toutes, après avoir galopé à la porte du carrosse qui, en mars 1815, emmenait Louis XVIII vers l'exil. Et il retombe dans sa douloureuse oisiveté.

Période difficile et bienfaisante, dont on ne saurait trop dire combien le tourment fut profitable au futur poète. C'est alors qu'il fait provision d'idées et de sentiments, qu'il prend conscience de ses goûts, de ses aspirations, de ses désirs; rejeté sur lui-même et forcé de rentrer en lui, c'est, plus qu'aucun autre temps de sa vie, l'époque où il a une « vie intérieure ». A Milly tout particulièrement, dans la solitude et le silence, il entend le son de son âme. Il subit le charme de la mélancolie dans ces « journées sombres d'automne, sa saison favorite ». Il s'interroge sur ses croyances, et connaît l'angoisse du problème métaphysique : « Il est des choses plus relevées encore que l'ambition et la gloire, qui m'occupent plus vivement et plus souvent. Que de nuages les environnent! Quelle épouvantable obscurité! Et que bienheureux sont les insouciants qui prétendent s'endormir sur tout cela! » Sur le Lamartine de la vingt-cinquième année, sur l'état de son âme, sur la confusion féconde de ses sentiments, sur son trouble ardent, il n'est pas de témoignage plus significatif, à la fois plus éloquent et plus sincère, que l'admirable lettre écrite de Milly, le 30 novembre 1816 :

« ... Sais-tu ce que c'est que des jours pluvieux,

II

ELVIRE

Mais l'heure était venue, où une rencontre allait bouleverser sa vie et renouveler son âme.

En arrivant à Aix, dans la seconde moitié de septembre, Lamartine prit pension chez un vieux médecin, le docteur Perrier. La maison, qui existe encore, une sorte de chalet rustique, était située dans le haut de la ville; elle donnait par derrière sur un jardin qu'une barrière séparait seule de la pleine campagne et d'où le regard s'étend sur les cimes voisines. Une jeune femme s'y trouvait; Lamartine la vit; bientôt il ne vit plus qu'elle. Les incidents de l'existence journalière la mettaient sans cesse sur son passage. Lorsqu'il rentrait de promenade par la petite porte du jardin sous les treilles, il l'apercevait alanguie aux derniers rayons du soleil. Le soir, en se penchant à la fenêtre, il distinguait, dans l'encadrement d'une autre fenêtre, le profil de la jeune femme accoudée et qui rêvait. Partout il devinait sa présence mystérieuse et son âme en était toute remplie.

Celle dont sa destinée venait de le rapprocher s'appelait Julie Charles : c'est l'Elvire du *Lac*, la Julie de *Raphaël*.

Julie-Françoise Bouchaud des Hérettes était née à Paris le 4 juillet 1784. Créole par sa mère, elle passa son enfance à Saint-Domingue. Après le massacre des blancs, en 1791, elle arriva en France. Elle menait, en province, à La Grange près Tours, seule avec un père fantasque et brutal, une existence malheureuse, lorsque le physicien Charles s'éprit d'elle et la demanda en mariage. M. Charles était un vieillard : il avait cinquante-sept ans. Mais c'était un homme de grand mérite que ses travaux scientifiques avaient mis au premier rang, et que son intrépidité d'aéronaute avait rendu célèbre. Julie fut heureuse d'accueillir sa recherche. Ce fut un mari excellent, d'une bonté non pas larmoyante, mais souriante et gaie. Il entoura de soins sa jeune femme, sa « pauvre Julie » toujours malade. Il habitait à l'Institut : il y recevait un cercle d'hommes qui avaient connu l'ancienne société et en continuaient la tradition. C'étaient Suard, Rayneval, Lainé, Lally-Tollendal, surtout le baron Mounier et le vicomte de Bonald. Julie eut un salon. Elle y présidait avec une grâce nonchalante. Elle goûtait, comme il convenait, ces joies sérieuses et cette félicité calme....

Cependant, sous l'influence du mal qui la consumait, une espèce de fièvre grandissait en elle, à son insu : c'était une poussée de sensibilité qui s'épanchait en effusion d'amitié, trompant mal un désir insoupçonné d'émotions plus tendres et plus vives. Ainsi cette jeune femme, heureuse et inquiète, qui avait passé la trentaine, qui était touchée par la mort, et qui n'avait pas encore aimé, languissait dans une attente dont, sans la comprendre, elle subissait l'angoisse.

Dans les dispositions de sensibilité — si voisines ! — où se trouvaient Lamartine et Julie Charles, à l'instant où le hasard les rapproche, l'étincelle ne pouvait tarder à jaillir.

Sur le carnet de la jeune femme se lisent encore ces mots tracés au crayon par Lamartine : « Ils se rencontrèrent, ils s'aimèrent ». C'est le cri du poète antique : *Ut vidi, ut perii*! Et c'est l'histoire même de cette passion soudaine et violente. Ils étaient seuls, dans un cadre de nature fait à souhait pour l'idylle. Ils parcoururent toute la vallée, leur « chère vallée d'Aix ». Ils allèrent en pèlerinage aux Charmettes. Ils avaient pris avec eux les *Confessions*. Ils relisaient dans son cadre le livre troublant. Ils évoquaient une image de Mme de Warens « altérée d'amour et brûlant de confondre les doux noms de mère et d'amante dans son attachement pour cet enfant que lui jetait la Providence et qu'adoptait son besoin d'aimer ». Tout parle d'amour à ceux qui aiment. Sur la fin du séjour, Louis de Vignet, le mélancolique, vint les rejoindre. Un soir, qu'ils avaient rempli « d'entretiens intimes, de rêveries, de tristesses, de sourires, » Louis crayonna quelques strophes plaintives, dans le genre de Gilbert. A son tour, Lamartine improvisa ces vers.

A Madame Ch.

Ô toi qui m'apparus dans ce désert du monde,
Habitante du ciel, passagère en ces lieux...
Dis-moi quel est ton nom, ton pays, ton destin!
Ton berceau fut-il sur la terre,
Où n'es-tu qu'un souffle divin?
Ah! quel que soit ton nom, ton destin, ta patrie,
Ou fille de la terre ou du divin séjour,
Ah! laisse-moi, toute ma vie,
T'offrir mon culte et mon amour.

Cependant l'automne s'avançait. Il devenait impossible pour Julie de différer encore un retour qu'elle avait déjà tant retardé. Elle quitta Aix le 26 octobre et rentra à Paris le 3 novembre. Lamartine l'avait accompagnée, une partie du voyage. A Mâcon, où il était retourné, il rêvait de venir passer l'hiver à Paris pour y retrouver celle qu'il aimait. Il le désirait trop vivement pour n'en pas trouver le moyen : le mercredi 25 décembre, dans son salon de l'Institut, parmi ses habitués de chaque soir, Julie vit apparaître le compagnon des heures enchantées d'Aix. Pendant quatre mois ils se verront chaque jour; chaque jour ils échangeront une lettre, une longue lettre, qui sera toute pleine des effusions, et parfois aussi des plaintes et des reproches d'un amour trop violent pour ne pas avoir ses heures troublées et ses souffrances. Ces quatre mois d'intimité à Paris, mais d'une intimité qu'il fallait disputer aux obligations et aux convenances de la vie mondaine, leur firent connaître les orages de la passion après les douceurs de l'idylle : « Chère vallée d'Aix, ce n'est pas ainsi que vous nous rassembliez : vous n'étiez pas pour nous avare des joies du ciel ». Ils profitèrent des premiers jours de printemps pour se retrouver seuls dans les bois. Lamartine, dont la santé était toujours mauvaise, quitta Julie dans le milieu du mois de mai. Il ne devait plus la revoir.

Il l'attendit à Aix, pendant tout le mois de septembre. Comment fût-elle venue? A l'heure où, dans des vers immortels, l'amant désolé évoquait le souvenir de leur félicité désormais passée, elle se mourait. Rentré à Milly, le cœur serré par l'angoisse, Lamartine était renseigné par le médecin qui soignait la mourante, le docteur Alin. Il ne gardait aucun espoir. Une fois encore, il reçut une lettre de Julie, cette lettre touchante et noble du 10 novembre, où elle déclarait ne plus vouloir vivre que pour expier et faisait au devoir le sacrifice de son amour. Le répit que lui avait laissé la maladie et dont elle avait profité pour écrire cette sorte de testament, fut sans lendemain. Elle fit, le jeudi 18 décembre, à midi, une fin chrétienne et douce.

Lamartine n'avait pu assister à cette agonie toute pleine de son image. La mort de Julie fut pour lui plus encore qu'une séparation cruelle : ce fut un ébranlement de tout son être. Au mois d'août, sa mère le retrouvait, à Milly, et devinait à son abattement le travail de quelque chagrin secret : « Il faut, écrivait-elle, qu'il ait perdu ou par la mort ou autrement je ne sais quel objet qui cause sa mélancolie si profonde ». Il avait aimé, il avait perdu celle qu'il aimait : il avait touché le fond de la souffrance humaine.

Nous pouvons, grâce à divers documents qui sont venus rectifier ou préciser le récit de Raphaël — grâce surtout aux lettres de Julie adressées soit à Mounier, soit à Lamartine lui-même, — nous représenter telle qu'elle était la femme que Lamartine a aimée. Nous n'en avons pas de portrait : une miniature où on a voulu la reconnaître n'offre aucun caractère d'authenticité. Mais nous avons toutes les raisons de croire à la ressemblance de l'image qu'en a tracée le poète. Elle dut être grande, svelte, une chevelure brune encadrant l'ovale aminci du visage, les yeux couleur de mer ombragés de longs cils, les paupières meurtries, le teint d'une pâleur mate. A la nonchalance créole s'ajoutait cet air de langueur maladive qui charmait alors. La voix, cette grande séductrice en amour, une voix musicale nuancée d'un léger accent exotique, achevait l'enchantement.

Toute sa psychologie tient dans ces quelques mots : c'était une femme formée à l'école de Rousseau. Grandie dans la mélancolie du nouveau siècle, elle se plaît aux effusions d'une sensibilité ardente et maladive; elle aime la rêverie triste; elle dit : « Mon âme est faite pour la douleur ». Suivant la doctrine de la *Nouvelle Héloïse*, elle considère l'amour non comme une faiblesse, mais comme une vertu : « Ce que c'est que l'amour ! écrit-elle; quelles vertus il inspire, quand l'objet qui l'a fait naître en est digne! » « L'amour que je sens pour vous est d'une nature si relevée! Il est si ardent! Il est si pur! Il me rendrait capable de tant de vertus! » Cette conception de l'amour va produire, en littérature et en morale, une révolution. Il n'est pas indifférent d'en trouver l'expression sous la plume de Julie Charles et pour qualifier l'amour qui l'unit à Lamartine. Fut-elle jamais effleurée par l'incrédulité? Ce n'est guère probable. Rien chez elle qui dénote la sécheresse de l'idéologue. Quand Lamartine la connut, elle avait déjà pour grand ami M. de Bonald; il n'eut pas à la faire revenir de bien loin pour l'amener à la piété complète des dernières semaines. Cette femme pensive et triste, d'une culture si raffinée, d'une sensibilité si vive et si délicate, inclinée vers le sentiment religieux et respectueuse de l'amour, comment n'eût-elle pas influé profondément sur Lamartine? Elle était plus âgée que lui de six années. Elle avait vu le monde; elle avait réfléchi; il est douteux qu'il l'ait convertie, mais il est certain qu'elle a renouvelé son cœur. Il comprit auprès d'elle combien les sentiments à l'expression desquels il s'était complu jusque-là étaient de qualité médiocre. Lamartine aimait à répéter : « Ce sont les Dantes qui font les Béatrices, et non les Béatrices qui font les Dantes ». Sans doute. Et pourtant Lamartine n'est devenu Lamartine qu'après la rencontre avec Elvire.

III

MARIANNE-ÉLISA

Au sortir de la terrible épreuve et tout meurtri par sa grande douleur, Lamartine se remet tout de suite au travail. Il ne peut résister, dit-il, aux rêveries de l'oisiveté; il préfère les douleurs physiques, que lui cause tout effort cérébral, aux « idées fixes et sans fond où le cerveau se brise ». Il s'occupe de son *Saül*, qui est achevé en avril 1818 : il a en tête une *Médée*, une *Zoraïde*, un *César*, une tragédie enfin qui serait « du Shakespeare écrit par Racine ». Il songe encore à un poème épique, *Clovis* « qui est son fait ». Il souffre toujours de son inaction, du vide de son existence, de l'incertitude de son avenir. Il se plaint de sa « position si ténébreuse » et de sa santé qui ne cesse de le tourmenter; il est le poète mourant : « je puis déjà d'avance me compter au nombre des morts ». Ses projets échouent, ses ambitions reculent. Talma, qu'il est allé voir tout exprès à Brunoy au mois d'octobre, pour lui lire son *Saül*, l'a comblé d'éloges et l'a éconduit; ses démarches afin d'obtenir un poste dans la diplomatie n'aboutissent pas : deux projets de mariage que Vignet lui a apportés se sont trouvés irréalisables. Il songe — vaguement — à passer en Amérique, ou à coloniser la Pianozza, petite île vis-à-vis de Libourne, où il veut faire pousser du blé. La série noire continue.

Et pourtant cet horizon si sombre commence à s'éclaircir. Au milieu de ses plans de tragédies et projets de poèmes, Lamartine écrit ses premières *Méditations* : l'*Isolement*, le *Désespoir*, la *Semaine Sainte*. Il les lit dans les salons aristocratiques où Virieu l'a introduit : l'admiration que provoque son talent, la sympathie qu'il inspire par sa personne, lui valent des protecteurs et des amis. Les mois de mars et d'avril 1819 qu'il passe à Paris sont pour lui une période de succès mondains et d'enivrement : « Je suis dans un monde charmant : j'y suis caressé, aimé, accueilli, prévenu sur tous les points ». Il fréquente chez la marquise de Raigecourt, chez Mme de Saint-Aulaire, mère du duc Decazes, qui est pour lui une « protectrice très bonne et très zélée ». Il fait une lecture chez le duc d'Orléans, passe la semaine sainte à la Roche-Guyon, chez le duc de Rohan, est invité par Mathieu de Montmorency. « Tout ce que je vois, ou connais, ou qui m'entend n'a qu'une voix sur mon talent poétique. J'ai même fait des enthousiastes par delà ce que tu peux imaginer.... On me cherche, on me recherche.... Je devais dîner hier chez le duc de Rohan. J'y dîne dimanche avec M. Mathieu de Montmorency, M. de

Bonald, l'abbé de Lamennais, etc. Je reçois force cadeaux et livres que les auteurs, mes *confrères*, me font. Je suis vraiment ici dans un assez joli moment pour l'amour-propre, si j'en avais. » C'est son étoile qui se lève.

Cependant, pour la seconde fois, Lamartine, dans les premiers jours du mois d'août, se retrouvait à Aix-les-Bains. Il s'était résigné à y faire une cure, quoiqu'il répugnât à revoir ce pays qui lui rappelait « de trop pénibles souvenirs ». Mais cette vallée d'Aix était pour lui prédestinée : il y avait laissé des souvenirs de passion et des images de deuil, il allait y rencontrer une autre forme de l'amour et la promesse du bonheur. Celle qui les lui apportait était une jeune Anglaise qui, pour avoir entendu parler de lui et réciter quelques-uns de ses vers, s'était prise pour lui d'enthousiasme.

Marianne-Élisa Birch était la fille unique d'un colonel anglais. Elle vivait avec sa mère qui, devenue veuve, s'était entièrement consacrée à elle. A défaut d'une éclatante beauté, elle avait de l'agrément, un « extérieur gracieux », le charme subtil, l'intime séduction d'une nature exquise. Lamartine fut tout de suite frappé de la conformité qui apparaissait entre les goûts de la jeune fille et les siens. Elle aimait la poésie, la nature. Très instruite, bonne musicienne avec un joli talent d'amateur en peinture, elle avait, sinon le don de l'exécution, du moins une vive intelligence artistique. Ajoutez une parfaite simplicité, une modestie qui n'était pas étudiée, une grâce discrète qu'il fallait découvrir, mais qu'alors on n'oubliait plus, une fermeté de caractère qui s'alliait à beaucoup de douceur. Le sérieux de son esprit — elle avait vingt-neuf ans — était déjà d'une femme. C'était la compagne attendue.

Lamartine comprit que le bonheur était là. Après quelques jours d'intimité, et à la veille de se séparer de la jeune fille, il lui écrivait cette lettre qui est sa « déclaration » :

« Je n'ai pu vous voir sans vous aimer, et chaque jour comme chaque parole a contribué, depuis, à fortifier en moi ce penchant d'abord involontaire, mais que la raison et la volonté approuvent également aujourd'hui. Je ne puis me résoudre à m'éloigner sans vous l'avoir au moins découvert ; je sais qu'il eût été plus convenable de commencer par en parler à d'autres qu'à vous, mais je sais aussi que, d'après la différence de religion et de patrie qui est entre nous, mes premières démarches auprès de madame votre mère auraient été probablement repoussées au premier abord, et, comme le bonheur de ma vie dépend du succès de ces démarches, il fallait que je m'assurasse auparavant de vos propres sentiments et que j'obtinsse de vous-même la permission de les entreprendre.... Nous aurons sans doute des deux côtés des obstacles d'égale force, mais aucun obstacle ne peut être aussi fort que le sentiment qui me guide ; ce sentiment — que j'ai connu une fois dans ma vie — n'a pu être arraché de mon cœur que par la perte de ce que j'aimais ; depuis ce temps, j'ai vécu dans une parfaite indifférence; mais je vous ai connue, j'ai trop apprécié en vous tant de qualités parfaites, tant de rapports entre nos goûts et nos sentiments, tant de perfections inconnues peut-être même à vous-même, pour ne pas sentir que je serais le plus heureux des hommes d'obtenir votre main et d'unir mes jours et ma destinée à la vôtre. Ce sentiment intime, profond, raisonné, inébranlable, m'aidera à triompher de tout, et, quel que soit l'événement, il ne peut plus s'éteindre en moi.... »

Lamartine offrait à la jeune fille un cœur où, comme il l'avouait, la passion avait mis une fois toutes ses ardeurs, prêt maintenant pour une affection profonde et sacrée qui durerait toute la vie.

Comme il l'avait prévu, ce projet de mariage devait rencontrer bien des difficultés. D'abord il se trouve auprès de Marianne-Élisa une amie, une bonne amie, qui dessert Lamartine — on ne sait pour quelle cause — et le représente sous les traits d'un Don Juan. Il se défend avec une chaleur et une émotion qui ne sont pas feintes :

« Je vous répète et je vous jure avec une sincérité parfaite que je vous ai consacré pour la vie tout ce que j'ai dans l'âme d'amour, de tendresse, de dévouement, tout moi-même enfin! que, du moment où vous avez accepté mes sentiments, ils sont et seront pour moi sacrés et invariables, comme si les nœuds les plus saints nous unissaient déjà! que rien ne me fera jamais changer et que je crois, en honnête homme, pouvoir vous rendre aussi heureuse (si l'attachement le plus constant vous suffit) que je serai heureux moi-même. »

L'amie parvint-elle à inquiéter la jeune fille? L'inclina-t-elle à un refus? Ou Lamartine s'était-il trompé au sens de deux lettres moins tendres, plus réservées? Il s'émeut, il s'irrite :

« Oui, je le vois, je m'étais trompé sur vous, si c'est vous seule qui avez pu m'écrire les pages inconcevables que je viens de lire hier au soir et ce matin! Quoi? La conscience de votre propre sentiment ne vous suffit déjà plus? Il faut, pour que vous puissiez vous avouer votre amour, qu'il convienne à Mlle C.? qu'il soit approuvé par elle? qu'il s'arrange avec ses désirs et ses plans? et déjà, quoi, déjà! vous avez pu tracer ces mots : *si l'on me force à renoncer à vous!* »

« Je vous le dis avec franchise, je vous le dis dans mon désespoir, j'aurais donné ma vie mille fois, plutôt que de les écrire ou de les concevoir jamais! Jugez, si vous le pouvez, de l'impression qu'ils m'ont faite, tracés par vous, après huit jours, huit jours seulement! Achevez plutôt; dites-moi que vous n'avez rien éprouvé, que vous vous êtes trompée vous-même, que ces courts sentiments n'ont été qu'un songe de votre âme, que vous vous en repentez! que vous me redemandez vos serments, que vous me rendez les miens! Que ne pouvez-vous me rendre aussi mon indifférence, et le repos, dont je jouissais quand, pour mon malheur, je vous ai vue? »

Querelle d'amoureux, qui fut vite apaisée. Ce qui

fut plus sérieux, ce fut l'opposition où devait s'obstiner la mère de la jeune fille. Anglaise, protestante et femme de parfait bon sens, Mme Birch ne voulait pour gendre ni d'un Français, ni d'un catholique, ni surtout d'un jeune homme sans position. Elle le fit savoir à Lamartine par un billet très bref et très catégorique, qui se terminait par ces mots : « Je vous assure qu'un jeune homme sans emploi et avec peu de fortune ne pourrait pas vivre du tout convenablement en Angleterre et n'y serait pas heureux. Après cette explication, je me repose avec confiance que cette affaire n'ira pas plus loin. » Mais les deux jeunes gens, dès le premier jour, étaient pleinement d'accord. Marianne-Élisa « tenait ferme », bien décidée à vaincre par sa persévérance le mauvais vouloir de sa mère. Elle consentait, pour se faire accepter de la famille Lamartine, à abjurer le protestantisme. Les deux « fiancés » attendaient avec une entière sérénité un avenir qui ne pouvait plus leur manquer.

Aux derniers jours de décembre, Lamartine était arrivé à Paris où il allait multiplier les démarches, en vue d'obtenir le poste diplomatique qu'il sollicitait depuis longtemps. De chaudes protections s'intéressent alors pour lui. Mme de Saint-Aulaire, la duchesse de Broglie, s'emploient activement en sa faveur. Il peut s'en remettre au zèle d'avocates si convaincues et s'abandonner librement au courant qui le porte. Car l'accueil qui lui est fait laisse bien loin en arrière celui de la saison précédente.

Il constate, dès son arrivée, que, depuis son dernier voyage à Paris, son nom a grandi, sa réputation s'est étendue. A la liste de ses admiratrices il faut joindre Mlle d'Orléans, la princesse de Talmont, la princesse de la Trémouille, Mme de Dolomieu, la duchesse des Cars. C'est, comme on disait à Milly, « la meilleure compagnie ». Lamartine a été décidément adopté par elle. Il n'y a pas de jour qu'il ne soit invité, ici ou là, à dire de ses vers. Une lecture de quelques-unes des *Méditations* faite, non par Lamartine lui-même, mais par son ami Genoude, est restée fameuse dans les annales de l'Abbaye-au-Bois.

« Je suis, écrit Lamartine à sa fiancée, protégé, prôné, porté par l'opinion des gens influents, autant qu'il est possible de l'être; je ne puis pas suffire à la vogue d'enthousiasme qu'on me témoigne dans un certain monde pour mon prétendu talent; je me tiens le plus possible sur la réserve à cet égard, mais un pas en entraîne un autre, et il n'y a pas de jour où je n'aie un dîner ou une soirée, où l'on ne m'invite pour m'entendre; cela m'ennuie et me fatigue horriblement, malgré l'espèce d'enivrement que cela produit en moi, mais bien peu parce que je sais ce que c'est. Je n'y cherche que l'utile, c'est-à-dire des facilités pour arriver à mon but : vous. Après cela, je dis adieu à tout. Vous seule et moi dans le monde !

« Je travaille aussi beaucoup chez moi pour préparer le petit volume de *Méditations* que je vous ai dit que je venais de vendre; je compose et corrige en même temps; je n'ai pas assez des heures de la journée pour tout ce qui les remplit et je n'ai pas assez surtout de ma santé, qui, sans être bien mauvaise, est pourtant bien fatiguée. Mais il le faut, c'est pour *Elle*! »

Cette fatigue dont Lamartine se plaignait annonçait une grave maladie qui vint mettre sa vie en danger. Lorsque, aux premiers jours de mars, il recouvra la santé, et qu'il s'informa de ses « affaires de tout genre », il put constater qu'elles avaient beaucoup avancé et qu'elles se trouvaient présentement dans l'état le plus satisfaisant. Grâce au zèle de ses protectrices, de Mounier et Rayneval, il venait d'obtenir le poste tant souhaité : il était attaché à l'ambassade de Naples et, de ce fait, les résistances de Mme Birch étaient tombées : il avait une « position ». Enfin son mariage était assuré! — et les *Méditations* allaient paraître.

IV

1820. — LA CARRIÈRE DIPLOMATIQUE

Elles parurent le 13 mars 1820.

C'était un mince volume de cent seize pages, contenant vingt-quatre pièces, édité sans nom d'auteur, au dépôt de la librairie grecque-latine-allemande; cette enseigne baroque était celle de la librairie que dirigeait H. Nicolle, l'éditeur de Genoude et de Lamennais, en relations avec ce monde du *Conservateur* qui avait pris Lamartine sous sa protection. Précédé par cette « certaine rumeur » qui depuis deux ans grandissait, savamment préparé par les amis du poète et par le poète lui-même, accru par l'écho des salons, le succès fut immense, l'un des plus magnifiques dont on se souvienne dans l'histoire des lettres. Cela commença par le public aristocratique. La princesse de Talmont ayant prêté à Talleyrand le petit volume, il lui adressait le lendemain matin, ce billet : « Je vous renvoie, princesse, avant de m'endormir, le petit volume que vous m'avez prêté hier. Qu'il vous suffise de savoir que je n'ai pu dormir et que j'ai lu jusqu'à quatre heures du matin pour le relire encore. Je ne suis pas prophète, je ne puis pas vous dire ce que sentira le public; mais mon public à moi, c'est mon impression sous mes rideaux. Il y a là un homme, nous en reparlerons.... » La duchesse de Broglie enregistrait les suffrages, auxquels ne manquait que celui de Mme de Genlis; « mais c'est une âme si anti-poétique que cela n'est pas extraordinaire ». Comme les représentants de l'ancienne société, ce sont ceux de l'ancienne littérature qui donnent le ton. Il y avait bien Andrieux qui grommelait : « Tu te lamentes, tu es poitrinaire, qu'est-ce que cela me fait? Le chrétien mourant; le chrétien mourant.... Eh bien! meurs, animal, tu ne seras pas le premier! » Mais le vieux Chênedollé voyait dans l'accueil fait à l'essai de son jeune confrère la preuve que « tout n'est pas désespéré et que la fibre poétique peut encore frémir dans les imaginations françaises ». La presse était unanime dans ses éloges. Le *Conservateur* estimait que leur caractère nettement chrétien mettait les *Méditations* bien au-dessus des poèmes de Byron : « Plus heureuse que l'Angleterre, la France voit aujourd'hui s'élever dans son sein un poète qui puise ses inspirations dans la religion, véritable source de lumière et de vie ». L'article des *Débats*, dû à la plume de Feletz, celui de la *Gazette de France*, étaient des panégyriques. Dès le mois d'avril, paraissait une seconde édition; au mois de juin, on en était à la quatrième. Les éditions vont désormais se succéder sans interruption. Rapidement le bruit qui, depuis deux ans, s'était fait dans un cercle privilégié autour du nom de Lamartine, s'amplifiait, s'étendait aux quatre coins de la France. On saluait cette poésie attendue depuis si longtemps, et qui avait tardé à éclore, bien que les éléments en eussent été déjà réunis par la littérature, et que les âmes fussent préparées à la recevoir. Telle fut exactement l'impression : ce fut moins la surprise de la nouveauté que la satisfaction de l'attente réalisée. C'est par là et c'est en ce sens que s'explique la soudaineté du succès qui, à vrai dire, dépassa toutes les espérances du poète et de son entourage.

Cependant Lamartine, qui avait été nommé le 24 mars attaché d'ambassade à Naples, sous M. de Narbonne, devait rejoindre son poste. Il presse les affaires de son mariage. Le contrat fut signé le 25 mai, dans le château, ou plutôt la maison de Caramagne, que les dames Birch habitaient avec la marquise de la Pierre, à Pugnet près de Chambéry. Le père de Lamartine lui donnait Saint-Point. Ses oncles et ses tantes lui donnaient l'hôtel de la famille situé rue Solon, à Mâcon. Mme Birch donnait à sa fille, en dot, 10 000 livres sterling placées sur les fonds publics anglais, dont le revenu continuait à lui appartenir, sauf 3 800 francs à Lamartine et 1 500 francs à sa femme. La fortune de Lamartine était donc au moins égale à celle de sa femme, et leur situation à tous deux des plus modestes. Le mariage eut lieu, le 6 juin, à Chambéry, dans la chapelle du gouverneur.

Le lendemain fut célébrée à Genève une cérémonie protestante, parfaitement inutile puisque Marianne-Élisa avait fait son abjuration au mois d'avril précédent, mais destinée à contenter Mme Birch. Puis les nouveaux mariés partirent pour l'Italie.

Les six mois que Lamartine passa à Naples sont l'époque la plus heureuse de sa vie. Les devoirs, si peu absorbants, de ses fonctions diplomatiques, lui laissaient le loisir de savourer, tout à son aise, ces instants privilégiés. Il se retrouvait dans un cadre de nature, dont l'enveloppante séduction lui était déjà connue. Il s'était installé à Naples, sur le quai de la *Riviera di Chiaja*, dans « la plus délicieuse habitation du monde, la mer à nos pieds, le Vésuve et Pompéi à ma gauche, à droite la colline de Pausilippe, couverte de verdure et de villas ». En outre il avait loué une villa, la Sentinelle, à Ischia, l'île enchantée, « montagne de la Suisse jetée au milieu de la mer de Naples... chef-d'œuvre de la baie de Naples, de l'Italie, du monde ». Plusieurs fois par semaine, il fait la traversée de Naples à Ischia. Le reste du temps se passe en excursions. Il connaît enfin le bonheur complet : il aime d'amour la femme qu'il vient d'épouser. « Je jouis, à l'ombre de ces figuiers, du beau soleil et de ma femme. Nous passons mollement nos jours à ne rien faire, à lire, à errer dans les bois ou sur la mer. Nous nous aimons, nous ne connaissons pas l'ennui.... » Heure de sérénité dans la paix du cœur et dans la douceur de l'âme, heure unique dont la plénitude se traduira pas les vers enivrés de *Chant d'amour*, *Ischia*, *Adieux à la mer*.

Pourtant, et une fois de plus, sa santé se gâte. Il est obligé de quitter Naples. A Rome où il passe son temps « à rêvasser le matin à Saint-Pierre et le soir causailler chez la duchesse de Devonshire », il médite le plan d'un grand poème qui doit être l'œuvre de sa vie : « En sortant de Naples, le samedi 20 janvier, un rayon d'en haut m'a illuminé : j'ai conçu.... J'ai conçu l'œuvre de ma vie, si j'ai une vie : un poème immense comme la nature, intéressant comme le cœur humain, élevé comme le ciel.... Si je le fais jamais, je dirai avec confiance *Exegi, et ce que j'ai fait est bon*. » Notons-le : c'est toujours sur quelque grande composition que Lamartine a compté pour assurer sa gloire, un *Saül*, un *Clovis*, ou, comme cette fois, un « poème des poèmes ». Ou encore, ce sera dans la politique ou dans l'histoire qu'il mettra sa confiance. Il n'a jamais parlé qu'avec légèreté, quand ce n'a pas été avec dédain, des *Méditations* et des *Harmonies*. C'est vers le même temps qu'il écrit : « Je ferais bien des *Méditations*, mais elles m'ennuient à présent ».

Au printemps, Lamartine est de retour en France, où nous le trouvons à Aix, à Plombières, à Mâcon, occupé à réparer « la vieille ruine de château que son père lui a donnée dans leurs montagnes ». En Angleterre, où il passe les mois d'août et de septembre, il s'enthousiasme pour les merveilles du confort : — « Ils ont divinisé l'existence physique ils l'ont embellie et ennoblie par l'élégance »; — et pour la gothique : « J'en ai pris la passion, la manie, la rage ». On s'en apercevra, hélas! aux « embellissements » de Saint-Point. Triste voyage qui devait coûter la vie à l'enfant né à Rome l'année précédente et baptisé à Saint-Pierre. Comment lire sans un serrement de cœur ces lignes que le père imprudent écrit alors à Virieu : « Souviens-toi par ma triste expérience de ne pas laisser voyager tes enfants. Si je perds le mien, ce sera par ma faiblesse d'avoir consenti à le laisser sans nécessité changer d'air, d'habitudes, de nourriture et de soins. Je n'en doute guère. Profite au moins de mes sottises pour les éviter. » Hélas! Comme c'est l'habitude, lui-même ne devait pas profiter de sa propre expérience, et, dix ans plus tard, le souvenir du frère mort ne put défendre la vie de Julia.

Cependant Lamartine, se retrouvant de loisir, s'est remis à la poésie. Au mois de février, ayant vendu un second volume de *Méditations*, il a songé à le faire : entendez par là qu'il a repris un certain nombre de pièces antérieures au premier recueil, ou composées pendant le récent séjour à Naples, qu'il les a mises au point, et qu'il en a ajouté quelques autres. Au mois d'août, le travail était achevé et le manuscrit envoyé à Paris. C'est à la même époque que fut écrite la *Mort de Socrate*. « En ce moment je fais une chose que je méditais depuis deux ans : un chant sur la mort de notre ami Socrate. Cela va comme de l'eau courante. » (15 février.) Et, un mois après :

« Socrate est fini. Si tu me demandes mon avis, je te dirai que je le trouve mon morceau capital.... C'est certainement ce que j'estime le plus de ce que j'ai fait. » Les deux volumes parurent en novembre.

Et voici un bien curieux chapitre de l'histoire des réputations littéraires. Les secondes *Méditations* n'étaient nullement inférieures aux premières; elles furent très froidement accueillies : « Si vous demandez comment j'ai réussi dans ma deuxième publication, je vous dirai : très mal. On s'acharne sur mes fautes de grammaire, de sens commun, etc., si bien que je n'ose plus faire un vers. » Lamartine a expliqué cet insuccès d'une façon toute simple, en disant que le tort des secondes *Méditations* était de venir après les premières, qui avaient épuisé la surprise, sans laquelle il n'y a pas d'admiration. Il a vu juste, et c'est encore une preuve que sa poésie fut considérée comme un aboutissement, non comme une nouveauté. Elle fermait un cycle. Le recueil qui suivait ne pouvait être qu'une redite, il n'était pas une étape de plus dans une voie nouvelle.

Par bonheur, le temps n'était pas encore venu que la poésie eût tort auprès de Lamartine. Une lettre du 12 décembre contient le plan de son poème des *Visions*. Il en est occupé toute l'année suivante, écrit son premier chant, cherche des épisodes pour les *Patriarches* et les *Chevaliers*. Un échec à l'Académie — qui préfère à l'auteur des *Méditations* un M. Droz — l'irrite, mais ne le décourage pas.

Pour se désennuyer, il crayonne le *Dernier Chant du pèlerinage de Harold* — et même le *Chant du Sacre,* son « poème de Fontenoy », écrit « par pure conscience royaliste », et qu'il appréciait à sa juste valeur puisqu'il l'appelle « l'horreur des horreurs poétiques ».

Ici se place un nouveau séjour de Lamartine en Italie. Enfin nommé secrétaire d'ambassade, il arrive à Florence le 2 octobre 1825. Il a pour ambassadeur un homme charmant, lettré à l'ancienne mode, avec qui il échange des vers : le marquis de la Maisonfort, aimable épicurien, qui avait connu Rivarol et Champcenetz et collaboré comme eux aux *Actes des Apôtres.* C'est l'émigré, prolongeant dans le siècle nouveau les habitudes d'élégance spirituelle et de mœurs faciles de l'Ancien Régime. Laissant femme et enfants en France, il avait emmené une ancienne amie, Mme Esmangart, en Toscane, où il habitait une superbe résidence, la villa Ludovisi. On fit fête au nouveau secrétaire d'ambassade et à sa femme : le jeune grand-duc de Toscane qui le faisait venir le matin dans la bibliothèque du Palais Pitti, pour l'emmener ensuite dans ses appartements; les deux grandes-duchesses, la comtesse d'Albany, veuve de Charles-Édouard et maîtresse d'Alfieri, la princesse Aldobrandini. Lamartine voyait le monde diplomatique, et des Français de passage : Virieu, les Saint-Aulaire, les Castellane. Il habitait, près de la porte romaine, donnant sur la Villa Torregiani, une grande maison avec jardins terrasses, vignes, cyprès. Il se promenait à cheval aux Cascines. Tout l'enchantait dans cette nouvelle Athènes.

Un incident vint lui créer une difficulté passagère. Dans le *Pèlerinage de Childe Harold*, Lamartine avait écrit deux vers, tout au moins imprudents pour un diplomate, candidat à un poste en Italie :

> ... Je viens chercher (pardonne, ombre romaine!)
> Des hommes et non pas de la poussière humaine.

Un réfugié italien, le colonel Pepe, releva ces vers, et y répondit dans une brochure dont les termes étaient un défi. Un duel s'imposait. Chevaleresque et avisé, Lamartine eut soin de ne pas toucher son adversaire et se fit blesser galamment. Le grief invoqué contre lui n'avait-il été qu'un prétexte dont on avait tiré parti contre un « homme religieux et royaliste »? Son attitude lui ramena la société. Désormais le ciel toscan fut pour lui sans nuages.

Il venait de passer l'été à Livourne, dans une maison charmante à cent pas de la mer, avec, pour jardin, un immense champ de figuiers. Le 15 octobre, le départ de M. de la Maisonfort le laissa investi des fonctions de chargé d'affaires, « la situation la plus agréable d'un secrétaire de légation », avec vingt-deux mille francs d'appointements. Depuis lors, il ne cesse de se louer, et de sa carrière qu'il est arrivé à aimer, et du pays, véritable paradis terrestre : « J'adore Florence plus qu'aucun pays que j'aie habité.... Je quitterai avec bien du regret cette cour excellente et ce divin pays de Toscane.... Nous aimons passionnément ce beau climat, et notre intention est d'y passer les hivers autant que possible, de préférence à Paris. Nous songeons à y acquérir une petite maison au midi. » Il achète en effet une villa charmante, emprunte pour la payer, et s'empresse d'y faire des embellissements ruineux. Il dépense quatre fois son traitement pour recevoir « toute l'Europe en voyage ». C'est Sophie Gay et sa fille Delphine, la jeune Muse, une bonne personne, « un joli talent féminin, mais le féminin est terrible en poésie »; Xavier de Maistre,

> ... Enfant à cheveux gris
> Qui n'a rien oublié, mais qui n'a rien appris .
> Son esprit est toujours à la première page;

la duchesse d'Istrie, le duc de Dalmatie, les Montebello, etc. Il se lie intimement avec Manzoni et sa famille. Il fait belle figure et mène grand train; il a un métier où il réussit — ce n'est pas le métier de poète que je veux dire; — il s'est créé un foyer charmant : il est heureux.

C'est alors qu'il écrit les *Harmonies*. Ce sont les *Méditations* encore, mais transportées dans un autre cadre de nature, et baignées d'une autre atmosphère morale. Le génie est le même, mais les circonstances et le milieu intérieur ont changé.

L'arrivée d'un nouvel ambassadeur, le baron de Vitrolles, avec qui Lamartine ne put s'entendre, fut l'occasion de son retour en France. Il était candidat à l'Académie pour le fauteuil du comte Daru, dans des conditions assez particulières. Profondément ulcéré par les humiliations que lui avait values sa première campagne académique, il avait refusé de faire de nouvelles visites de candidature; mais il devait aux confrères qui venaient de l'élire des visites de remerciement. C'est pour cela qu'il se trouvait à Paris, acclamé, fêté, lorsqu'il y reçut la nouvelle d'un affreux malheur, la mort de sa mère. Mme de Lamartine avait succombé aux brûlures qu'elle s'était faites dans un bain. C'est probablement la plus grande douleur qu'ait connue Lamartine. Mais ce fut pour lui autre chose encore : un écroulement, un effondrement. De Saint-Point où il avait fait transporter la dépouille mortelle, au mois de décembre, il écrivait : « Voilà une leçon, la plus forte que j'aie reçue : le reste encore pouvait s'effacer, se réparer, s'adoucir; mais à ceci il n'y a pas de remède, il n'y a plus qu'un éternel souvenir qui me montre un immense vide, qui me dit : tout s'évanouira aussi; pourquoi remuer? pourquoi travailler? pourquoi grandir devant les hommes? » Cette mère exquise n'avait pas été seulement pour son fils l'éducatrice que l'on sait; elle représentait pour lui un ensemble d'idées et de sentiments : c'est tout ce passé qui soudain lui manquait et allait le laisser désemparé.

Les *Harmonies* parurent au mois de juin. Elles eurent un beau succès. Le poète toutefois n'était guère content de son œuvre. En relisant ses épreuves, il soupirait : « Cela fait peine à voir ». Sur cinquante pièces, il n'en estimait guère qu'une quinzaine. Il ne retrouvait plus dans ses vers l'émotion avec laquelle il les avait écrits. C'est qu'il n'était plus le même : un autre homme était en train de naître en lui. Un événement va précipiter et préciser cette transformation : la révolution de 1830.

Il l'avait prévue : « Rien de ceci ne m'a étonné, si ce n'est la rapidité de l'exécution et l'élan unanime de Paris. A mon avis, nous marchions inévitablement à un tel résultat. » Il avait déploré l'aveuglement de Charles X et refusé de s'associer à la politique de Polignac; en outre, sa famille maternelle avait été en rapports avec la famille d'Orléans; mais il lui sembla que le loyalisme lui interdisait de conserver, sous le régime issu de la révolution, les fonctions qu'il tenait du précédent gouvernement. Il envoya au Roi sa démission. « J'avais aimé, servi, chanté les anciens rois : la palinodie ne pouvait me convenir », écrivait-il quelques mois plus tard. C'était le temps où Chateaubriand s'enveloppait dans sa fidélité au passé; Lamartine se préparait au contraire à aller vers l'avenir. Au surplus toute sorte d'idées germaient en lui, un besoin d'activité le tourmentait; il brûlait d'échanger le rôle purement représentatif du diplomate contre un autre, plus personnel. Ainsi il pourrait exercer cette « action » à laquelle il aspirait depuis si longtemps. Des perspectives s'ouvraient devant lui sans limites. Il avait toujours pensé qu'il était né pour la vie publique; il se reconnaissait l'instinct des foules, le don de double vue, le sens prophétique de l'avenir. Dans les dispositions où il était, la révolution de 1830 devait avoir sur ses idées une influence considérable : elle prit à ses yeux en quelque sorte un caractère mystique. Il redoutait par-dessus tout l'anarchie, l'émeute qui avait grondé jusqu'à Saint-Point. Il déclarait : « Si nous sommes en République trois mois... il n'y a plus de France ». Mais il avait l'espèce de foi visionnaire qu'un nouvel ordre de choses allait naître. 1830 lui expliquait 1789, toute révolution se légitimant par son caractère providentiel et n'étant, dans son principe, sinon dans son exécution, que l'intervention directe de Dieu dans les affaires humaines. C'est le sens de la lettre à Virieu (24 octobre 1830) : « Je dis : les grands principes de la Révolution de 89 sont vrais, beaux et bons, l'exécution seule a été atroce, inique, infâme, dégoûtante. Pour que 89 fût si mal, il fallait que ce que 89 détruisait fût beau; et je trouve 88 hideux.... Nous ne nous rencontrons que dans le sentiment d'horreur pour la Révolution action, mais non pour la Révolution principe. La Révolution principe est une des grandes et fécondes idées qui renouvellent de temps en temps la forme de la société humaine.... L'idée de liberté et d'égalité légales est autant au-dessus de la pensée aristocratique ou féodale que le christianisme est au-dessus de l'esclavage ancien. »

C'est le sens de l'*Ode au peuple du 19 octobre 1830* (Contre la peine de mort, 2 novembre 1830). Lamartine y glorifie — lui le légitimiste de la veille! — le peuple victorieux, qui fut grand et fort :

Moi-même, dont le cœur date d'une autre France,
Moi, dont la liberté n'allaita pas l'enfance,
Rougissant et fier à la fois,
Je ne puis retenir mes bravos à tes armes
Et j'applaudis des mains, en suivant de mes larmes
L'innocent orphelin des Rois.

Dans *les Révolutions* comme dans le fameux morceau de *Jocelyn*, qui est de la même époque, il considère que le progrès est la loi de l'histoire, comme celle de la nature, et que les destructions nécessaires en sont le moyen :

Regardez donc, race insensée,
Les pas des générations!
Toute la route n'est tracée
Que des débris des nations.
Trônes, autels, temples, portiques,
Peuples, royaumes, républiques,
Sont la poussière du chemin;
Et l'histoire, écho de la tombe,
N'est que le bruit de ce qui tombe
Sur la route du genre humain.

Les Révolutions sont le levain de l'action divine parmi les hommes et ont un caractère religieux... On le voit : c'est déjà la « religion » de la Révolution.

Deux idées s'imposent à Lamartine, l'une que la secousse donnée par les événements de juillet a été décisive pour lancer l'humanité sur la route de l'avenir; l'autre que dans les batailles qui se préparent le citoyen ne saurait rester neutre : « La neutralité en l'année 1830, quand le monde moral tout entier et le monde immoral sont sous les armes, quand on va livrer les plus grandes batailles intellectuelles dont jamais ait dépendu le sort des générations nées et à naître... une telle neutralité est à mes yeux un crime envers soi-même, une blessure inguérissable à sa conscience. » Et il continue : « Tous les intérêts du pays, du temps, de l'avenir sont en jeu... ils vont être attaqués, ils le sont tous les jours par la démence, le crime, et l'anarchie ; les abandonnerons-nous parce que la fortune ou la Providence les ont placés dans des rangs qui ne sont pas les nôtres? Laisserons-nous piller et brûler et égorger le pays et l'Europe, parce que nous aurions préféré un autre gardien sur le seuil? Il n'y a pas deux réponses : la mienne est faite. » Cette réponse, comme il arrive toujours, est conforme aux secrets désirs de l'homme, en accord avec une énergie qui a besoin de se dépenser. Lamartine est en fermentation d'idées politiques : il brûle de se dévouer ; il a déjà fait le sacrifice de sa vie, pour le jour des tragiques règlements de comptes.

Un des reproches qu'on a souvent adressés au poète devenu orateur et homme d'État, est celui d'avoir eu de fréquentes « variations ». On a beaucoup exagéré, comme il est facile de s'en convaincre en lisant la brochure où il condense ses idées d'alors : *la Politique Rationnelle.* Ces quelques pages, qui paraissent au mois d'octobre 1831, contiennent, dès cette date, l'essentiel du programme qu'il appliquera plus tard. De même, on a trop insisté sur le vague de sa politique idéaliste et nuageuse. Il tient, plus qu'on ne l'a dit, compte des faits. Il proteste contre une métaphysique sociale placée trop haut pour qu'un rayon de lumière s'en détache « et éclaire les situations présentes, les seules avec lesquelles nous ayons affaire ». « La politique n'est que faits, indépendants ou dépendants de nous, comme tout l'univers physique et moral. C'est avec eux que nous avons à traiter, et il y a toujours un parti à en tirer. » (13 mars 1832.)

Déjà il s'était laissé porter à la députation : il échoua à Hondschoote par 181 voix contre 188 (juillet 1831). Il ne croyait pas d'ailleurs qu'il dût se produire aucun événement décisif dans la politique avant trois ou quatre ans. Il avait le temps de faire le grand voyage philosophique et poétique qu'il projetait depuis plusieurs années déjà. La guerre de Syrie, le choléra, la santé de sa fille Julia le retardèrent encore. Enfin il s'embarqua à Marseille, au mois de juillet 1832. Il vit s'éloigner, décroître, disparaître les côtes de France : avec elles tout le passé qu'il y avait vécu s'évanouissait. Sa mère était morte. Mme de Raigecourt, Mme de Montcalm, ses guides, ses protecteurs n'étaient plus là. Il n'était plus en accord avec ses plus intimes amis. Il s'embarquait portant dans sa tête tout un monde d'idées qui allaient là-bas, sous un autre soleil, germer, mûrir, éclater.

V

LE VOYAGE EN ORIENT

S'il faut en croire Lamartine, il avait songé de tout temps à un voyage en Orient, et l'idée en remontait pour lui aux années d'enfance où il feuilletait sur les genoux de sa mère une bible de Royaumont. Toujours est-il que nous trouvons dans une lettre de 1818 une première expression de ce vœu : « Si je puis amasser seulement cent louis, j'irai en Grèce et à Jérusalem avec un bourdon et un sac et mangeant du pain ». Depuis lors, il ne cessa de caresser ce projet.

L'idée qu'un grand voyage a pour l'homme de pensée, non seulement de l'attrait, mais de l'utilité, est une idée du début du XIXe siècle. L'imagination venait de s'ouvrir aux spectacles extérieurs. On était sensible au charme de la couleur et de l'atmosphère. On était curieux de la diversité des mœurs. On prenait un plaisir de mélancolie à retrouver les traces des civilisations disparues, à savourer la poésie des ruines. Entreprenait-on d'ailleurs un voyage? Ce devait être un voyage en Orient. Là route avait été frayée par Volney et par Napoléon, par Chateaubriand et par Byron. Lamartine est convaincu qu'un voyage est une des grandes émotions de la vie, et que c'est dans les temps modernes une espèce de devoir. Poète, il va chercher des images pour son grand poème. Chrétien et philosophe, il va visiter le théâtre du drame sacré et méditer sur les problèmes de l'histoire et de notre destinée. Politique, il va se recueillir avant des luttes que sa clairvoyance, ou, comme il aimait à dire, un instinct prophétique lui faisait prévoir.

Il a lui-même, dans *l'Adieu* daté de Marseille, à l'instant de son départ, donné les raisons de son voyage :

Des sept pages du monde une me reste à lire :
Je ne sais pas comment l'étoile y tremble aux cieux,
Sous quel poids de néant la poitrine respire,
Comment le cœur palpite en approchant des dieux....

Je n'ai pas entendu dans les cèdres antiques
Les cris des nations monter et retentir,
Ni vu du haut Liban les aigles prophétiques
S'abattre au doigt de Dieu sur les palais de Tyr....

Et je n'ai pas marché sur des traces divines,
Dans ce champ où le Christ pleura sous l'olivier;
Et je n'ai pas cherché ses pleurs sur les racines
D'où les anges jaloux n'ont pu les essuyer;
Et je n'ai pas veillé, pendant des nuits sublimes,
Au jardin où suant sa sanglante sueur
L'écho de nos douleurs et l'écho de nos crimes
Retentirent dans un seul cœur.

Voilà pourquoi je pars, voilà pourquoi je joue
Quelque reste de jours inutile ici-bas....

Tel était le programme, important à connaître. On ne trouve dans un pays que ce qu'on y allait chercher — ou tout au moins les seules questions auxquelles on y trouve une réponse, sont celles qu'on s'était posées d'avance.

Lamartine s'embarqua à Marseille sur le brick l'*Alceste*, de 250 tonneaux, capitaine Blanc : il mit à la voile le matin du 10 juillet 1832. On a beaucoup trop parlé du faste avec lequel il avait organisé son expédition. Il emmenait avec lui un médecin, M. de la Royère, ses amis A. de Parseval et Capmas, six domestiques. Il emmenait, hélas! sa femme et sa fille Julia. Il fit route par Malte, s'arrêta à Nauplie le 10 août et trouva la Grèce à feu et à sang. Le pays lui parut affreux; il n'y vit que des rochers noirs, nus et stériles. A Athènes seulement la déception ne fut pas trop complète. A Beyrouth, où il arriva le 6 septembre, il poussa un soupir de soulagement. Enfin il avait devant lui un paysage « beau, grandiose, pittoresque, gracieux, vert, original ». Il établit au pied du Liban sa femme et sa fille, celle-ci déjà malade au moment du départ et dont l'air de la mer avait aggravé l'état. Parti avec une escorte de 25 chevaux, il visita, pendant quarante-cinq jours de bivouac et de cheval, les deux Galilées et la Palestine et revint par la côte à Césarée, Tyr et Sidon. Il avait trouvé Jérusalem ravagée par la peste et n'avait pu la visiter que grâce à l'obligeance d'Ibrahim Pacha. Quand il revint à Beyrouth, une cruelle épreuve l'attendait : il ne put qu'assister impuissant aux derniers jours de Julia qui succomba le 6 décembre à une maladie de poitrine. Le retour par Constantinople et le Danube fut lugubre. Lamartine était tombé sérieusement malade dans un village de Bulgarie ; ses compagnons de route n'étaient guère moins éprouvés. Le voyage avait été désastreux.

Lamartine en revenait abattu, désenchanté, et surtout profondément transformé : « Ce voyage, ces choses vues de près, cet affreux malheur m'ont changé et bouleversé. Je ne suis plus le même homme, au physique et au moral ; ma philosophie même, si une misérable pensée humaine mérite ce nom, n'est pas ce qu'elle était. C'est une grande leçon que tant de spectacles des vanités humaines : cela enlève le prestige du passé, comme les illusions d'avenir. » L'abattement ne sera que passager : Lamartine est de ces nerveux qui reprennent vite le dessus. Une fois qu'il aura touché le sol et qu'il sera rentré dans l'air du pays, il sera repris par l'ambition ; mais il a, comme il dit, refait son cours d'histoire, de philosophie et de religion. En vérité, il n'est plus le même homme.

Le voyage en Orient l'a déraciné. Lui, l'homme attaché au sol, l'enfant de Milly, voici qu'il méconnaît le charme intime de la maison, qu'il se prend de goût pour la vie nomade de l'Arabe dans le désert et sous la tente. Comme le désert est vaste et vague, sans lignes arrêtées et sans limites, de même la pensée de Lamartine s'élargit : c'est-à-dire qu'elle se vide des idées précises et des croyances définies qui avaient été longtemps les siennes. Le chrétien des *Harmonies* s'éprend de l'islamisme, qui n'impose à ses fidèles que la nécessité de la prière; il trouve la voix du muezzin, « voix vivante, animée, qui sait ce qu'elle dit et ce qu'elle chante, bien supérieure à la voix stupide et sans conscience de la cloche de nos cathédrales ».

En l'isolant, le voyage lui a donné une confiance de plus en plus grande en lui, en sa raison, ou plutôt en son sentiment, en son instinct, en son intuition : c'est désormais, à ses yeux, le moyen le plus court et le plus sûr d'atteindre toutes les vérités de quelque ordre que ce soit. Quelque question qui se présente, science, archéologie, histoire des religions, il est admirable de voir avec quelle désinvolture Lamartine la résout par une divination qu'il tient pour infaillible. Dites lui qu'Homère ou Ossian pourraient bien n'avoir jamais existé : il vous répond qu'ils ont existé, et qu'il en a pour preuve son sentiment. Il s'en remet à son impression — et à sa première impression : « A première vue, en un clin d'œil, j'ai jugé un homme ou une femme pour jamais ». Il n'admet qu'une seule certitude, celle de l'instinct.

Enfin ce voyage l'a confirmé dans l'idée qu'il avait désormais un grand rôle à jouer; ce fut tout particulièrement l'effet des prédictions d'Esther Stanhope. Cette nièce de Pitt, femme d'un esprit remarquable et bizarre, s'était établie en Orient où elle portait le titre de reine de Palmyre et jouait le rôle de prophétesse. Lamartine lui rendit visite. Il fut très impressionné par l'étrangeté de l'accueil qu'il en reçut et par le ton inspiré de certaines prédictions trop en accord avec ses secrets désirs pour qu'il y sentît percer la mystification : « Vous êtes un de ces hommes que j'attendais, que la Providence m'envoie, et qui ont une grande part à accomplir dans l'œuvre qui se prépare. Bientôt vous retournerez en Europe; l'Europe est finie, la France seule a une grande mission à accomplir encore. Vous y participerez.... » Lady Esther n'était pas une sorcière, et Lamartine n'est pas Macbeth. N'est-ce pas pourtant sa propre ambition qui prend forme à ses yeux et lui dit les mots fatidiques : « Tu seras roi »? Désormais rien n'ébranlera la foi qu'il a dans sa mission.

L'influence du voyage en Orient devait se préciser, après le retour, à mesure que les impressions reçues germaient dans l'esprit de Lamartine et y faisaient leur travail. On peut suivre les progrès de cette réforme intérieure à la fois dans les lettres de cette époque, dans le morceau sur les Destinées de la poésie et dans le *Voyage en Orient* lui-même, publié le 6 avril 1835. On ne saurait trop y insister, car c'est pour Lamartine un moment décisif de son évolution intellectuelle et morale. Il écrit, dans une lettre du 19 octobre 1834 : « Je me suis mis à étudier depuis trois ans avec sincérité, et tout ce que cette étude face à face des choses a fait écrouler dans mon esprit est immense.... Il faut sortir de France et des coteries européennes pour voir le vrai en politique;

il faut sortir de nos rhétoriques pour voir le vrai en poésie ; il faut sortir du temps et s'élever au-dessus de tous les temps pour voir le vrai en philosophie. L'horizon borné est toujours faux et celui d'où nous envisageons ces choses n'a jamais que le rayon de nos patries, de nos ères, de nos habitudes. Aussi presque tout est faux ; voilà où j'en suis.... »

Tout un Lamartine nouveau, le poète de la seconde partie de *Jocelyn*, le philosophe du *Livre prophétique*, l'historien des *Girondins*, le politique de 1848, est en germe dans cette profonde et complète transformation.

VI

LA VIE POLITIQUE

Pendant qu'il voyageait en Syrie, Lamartine avait reçu la nouvelle de son élection qui lui fut apportée, sur les ruines de Balbek, par un cavalier arabe. Les électeurs de Bergues (Nord) l'avaient nommé en son absence. En arrivant à la Chambre pour la rentrée de septembre 1833, sa première préoccupation est de « chercher son point d'appui hors des partis existants, dans la conscience du pays. » Il a l'horreur des royalistes purs, et d'autre part la terreur de l'anarchie; mais déjà il va fort loin dans ses rêveries d'avenir et envisage la possibilité d'une « république rationnelle ». Il fonde un parti, qu'à vrai dire, pour le présent, il compose à lui tout seul, mais auquel l'avenir ne saurait manquer. Talleyrand s'en porte garant. Le vieil homme d'État, un soir après dîner, a pris, sur un canapé, le débutant et, « de son air solennel et oraculeux », lui a dit : « Vous êtes entré dans les affaires de ce pays-ci plus qu'aucun homme depuis juillet, plus *profond*, plus *juste* et plus *avant* que qui que ce soit. Les choses marchent vite, et vous, vous marchez vite; il ne s'agit pas de dix ans, comme vous dites, un, deux, trois peut-être, vous ne pourrez manquer dans la marche que vous avez tracée et suivie, d'être au *cœur* du pays. »

Le succès oratoire vient à lui, presque aussi rapide et facile que le succès poétique : « Je vois, écrit-il, se réaliser ce que j'avais toujours senti, que l'éloquence était en moi plus que la poésie, qui n'est qu'une de ses formes, et qu'elle finirait par se faire jour, s'il n'était pas trop tard. » Et peu après : « Je possède mon instrument : l'improvisation la plus spontanée, et la réplique la plus nette, la plus abondante, la plus foudroyante ». Le fait est qu'il a quelques-uns des dons les plus rares de l'orateur : la faculté d'assimilation qui lui permet de s'emparer tout de suite d'une question, l'élégance de la forme, une phrase qui se déroule abondante et nombreuse, de soudaines et frappantes trouvailles de mots. Et il a, enfin, plus que tout ce que dessus, la séduction personnelle. On l'applaudissait, on cherchait de divers côtés à capter cette force; les partis auraient voulu s'adjoindre cette brillante recrue. Lamartine s'empresse de croire qu'on se donne à lui. Rien n'égale la confiance qu'il a en lui-même, si ce n'est la foi qu'il a mise dans le bon sens populaire. Il est persuadé qu'avec un idéal généreux et une parole éloquente on peut mener les hommes et les mener au bonheur. Faire resplendir devant la conscience populaire les idées de justice et de liberté, c'est pour lui toute la politique. Il oublie seulement de faire entrer en ligne de compte le jeu des intérêts et la poussée des instincts.

Très vite il acquiert au Parlement une situation qu'il doit uniquement à son éloquence. Plusieurs de ses discours, notamment sur la Peine de Mort (1836), ont un grand retentissement. Il tient toujours le regard fixé sur son idéal de politique évangélique : « Le but, c'est la restauration de la dignité et de la moralité humaines dans toutes les classes dont la société se compose ; c'est la raison, la justice et la charité appliquées progressivement dans toutes les institutions politiques et civiles, jusqu'à ce que la société politique, qui n'a été trop souvent que l'expression de la tyrannie du fort sur le faible, devienne l'expression de la pensée divine qui n'est que justice, égalité et providence (oct. 1836). » Il a soin de ne s'inféoder à aucun parti : « Ces vieux partis sont morts et rien ne ressuscite ici-bas ». Le 5 novembre 1837, il est nommé député à la fois à Mâcon, à Cluny, à Dunkerque. Cette triple élection va augmenter la conviction où il est que de hautes destinées l'attendent, dont ne donne aucune idée la place qu'il occupe au Parlement. Il se plaint de n'être pas compris. Les ministères sont pour d'autres ; lui, il est « ministre de la haute opinion philosophique. » Il tend vers un but mystérieux, inconnu de lui-même.

Cependant l'homme d'État n'a pas encore tué le poète. Entre les sessions du Parlement, Lamartine trouve le temps et le moyen de tailler ses crayons et d'exécuter par parties le plan de son grand poème humanitaire. Il avait, dès 1831, commencé *Jocelyn* dont le prologue et quelques strophes étaient écrits à la fin de l'année. Il en était enchanté : « C'est mon chef-d'œuvre. Jusqu'ici on n'aura rien lu de ce style : c'est l'épopée de l'homme intérieur.... C'est du type de Paul et Virginie, ce type accompli selon moi des modernes. » Il se remet en octobre 1834 à ses « vers délicieux ». De juin à novembre 1835, il termine le travail : « Je suis depuis deux mois dans la poésie pure et juvénile. Je viens ce matin d'achever pour l'impression la copie de 8 ou 9 000 vers perdus sur des pages d'album ou sur des marges de Pétrarque in-folio. C'est ma poésie de seize ans. » A mesure qu'il approche de la publication, son ravissement ne fait que grandir : « J'en suis confidentiellement ravi. Je veux que cela me survive un demi-siècle.... Je prophétise que cela sera trouvé bête pendant six ans et dans les poches des cordonniers ensuite. » Le poème paraît dans la seconde quinzaine de février 1836 ; le succès est immédiat et immense : « C'est une fureur, c'est une rage, cela passe les *Premières Méditations* en succès unanime. Cela se lit dans les cours de tous les professeurs, dans les collèges, et cela s'en va par milliers d'exemplaires (26 février). » « 24 000 exemplaires en 27 jours, 7 éditions à Bruxelles, idem en Allemagne. » Cette fois, la renommée du poète avait débordé le cercle des lettrés et des délicats où elle s'était tenue jusque-là ; Margot avait pleuré : Lamartine passait poète populaire.

Toutefois au concert d'enthousiasmes se mêlaient des objections de deux sortes. On reprochait au poète l'exécution hâtive de son œuvre. Et il est vrai que si Lamartine a mis cinq ans à composer *Jocelyn*, dans ces cinq années où il faut trouver place pour le voyage en Orient et pour les mille besognes de la vie parlementaire, il n'a pu consacrer à son œuvre, comme il le dit lui-même, que des rognures de son temps. La poésie n'est plus pour lui la principale affaire. Il en parle avec cette nuance de dédain qui tant de fois désormais nous attristera. C'est dans la Préface de *Jocelyn* que se trouvent les lignes fameuses : « Qu'est-ce qu'un homme qui, à la fin de sa vie, n'aurait fait que cadencer ses rêves poétiques, pendant que les contemporains combattaient avec toutes les armes le grand combat de la patrie ou de la civilisation?... Ce serait une espèce de baladin propre à divertir les hommes sérieux, et qu'on aurait dû renvoyer avec les bagages parmi les musiciens de l'armée. » L'autre objection porte sur l'orthodoxie du christianisme dans *Jocelyn* : elle se précisera et s'accentuera lors de la publication de la *Chute d'un ange*.

Car sitôt *Jocelyn* paru, Lamartine s'est tout de suite remis au travail. Il écrit un nouvel épisode de son épopée de l'âme humaine, dès l'automne de 1836, le matin « au ronflement mélancolique d'un tuyau de poêle et du vent de Saint-Point dans sa tour ». Au printemps de 1837, il est tout entier dans « les aventures de deux pauvres diables d'amants qui vivaient un peu avant le déluge ». En décembre de la même année, il apporte à Paris son épisode de 12 000 vers, prêt pour être publié quand on voudra. La *Chute d'un ange* paraît en avril 1838. Lamartine ne se fait aucune illusion ni sur la valeur de l'œuvre, ni sur le succès qui l'attend : « C'est détestable », écrit-il. Et encore : « Chute affreuse, mais qui ne me fera aucun mal, car je m'y attends. » Il ne se défend que sur la question de doctrine, et encore, assez faiblement : « Tu partages donc à tort l'erreur commune, qui m'attribue l'intention d'hostilité envers le christianisme, dans ceci ou dans *Jocelyn*. Je suis chrétien, à peu d'interprétations près. Le peu de bien qui est en nous vient de là, et je vénérerai toujours la source où nos âmes ont puisé. Maintenant, le christianisme à la lettre est-il le christianisme en esprit? Le christianisme qui a traversé, en s'en imprégnant, les ténèbres des âges les plus honteux de l'esprit humain, est-il le christianisme de ses âges de développement et de lumière? Là est la question. » (Juillet 1838.) C'est le temps où il lit Michelet, où Edgar Quinet vient chez lui parler de Herder, de Strauss, du panthéisme et du symbolisme, où son hôte, le « baron sanscrit » d'Eckstein, l'enchante par sa verve intarissable et sa science énorme. Oui vraiment, il y a pas mal d' « interprétations » à redouter.

Encore une fois, et en dépit de l'échec trop justifié de son poème antédiluvien, Lamartine reviendra à la poésie et nous donnera l'occasion de l'y admirer pleinement. Dans la préface des *Recueillements poé-*

tiques, qui paraissent au printemps de 1839, il explique comment il se peut qu'il écrive encore des vers. Il s'en explique comme on s'en excuse. C'est quand l'année politique a fini, et que « les moissons, les vendanges, les semailles le laissent deux mois seul et libre dans cette chère masure de Saint-Point ». L'automne touche à sa fin. « Cinq heures du matin n'ont pas encore sonné à l'horloge lente et rauque du clocher qui domine mon jardin, que j'ai quitté mon lit, fatigué de rêves, rallumé ma lampe de cuivre et mis le feu au sarment de vigne qui doit réchauffer ma veille dans cette petite tour voûtée, muette et isolée, qui ressemble à une chambre sépulcrale habitée encore par l'activité de la vie. J'ouvre ma fenêtre, je fais quelques pas sur le plancher vermoulu de mon balcon de bois.... Le froid du matin me saisit; mes pas craquent sur le givre, je referme ma fenêtre et je rentre dans ma tour où le fagot réchauffant pétille et où mon chien m'attend. Que faire alors?... Le coude appuyé sur la table et la tête sur la main, le cœur gros de sentiments et de souvenirs, la pensée pleine de vagues images, les sens en repos ou tristement bercés par les grands murmures des forêts qui viennent tinter et expirer sur mes vitres, je me laisse aller à tous mes rêves, je ressens tout, je pense à tout.... Comme je ne sais pas écrire en prose, faute de métier et d'habitude, j'écris des vers.... Les heures que je puis donner ainsi à ces gouttes de poésie, véritable rosée de mes matinées d'automne, ne sont pas longues. La cloche du village sonne bientôt l'angelus avec le crépuscule; on entend, dans les sentiers rocailleux qui montent à l'église ou au château, le bruit des sabots des paysans, le bêlement des troupeaux, les aboiements des chiens de berger et les cahots criards des roues de la charrue sur la glèbe gelée par la nuit; le mouvement du jour commence autour de moi, me saisit et m'entraîne jusqu'au soir.... » Derniers chants, si différents des premiers, mais à peine moins beaux! Dans ces vers de son automne l'inspiration de Lamartine a gagné en gravité, son art en largeur et en plénitude. Le poète subsistait tout entier. Mais sa réputation ne s'était pas relevée de la *Chute d'un ange*; ajoutez que la renommée grandissante de l'orateur lui faisait tort. Les *Recueillements* eurent « l'insuccès le plus éclatant et le plus général que puisse ambitionner un mauvais poète ». Ce fut le dernier coup. Désormais Lamartine n'écrira plus de vers, sauf quelques pièces de circonstance. Il n'y voit rien qu'un enfantillage dont il a honte. Ainsi l'orateur a converti le poète à la prose : l'éloquence a été pour lui la transition entre la poésie et l'histoire ou le roman.

Cependant il était au tournant de sa carrière publique. Entre les années 1839 et 1842, son idéal se développe et se précise : c'est celui d'une politique libérale, humanitaire, pacifiste. Après son fameux discours sur la translation des Cendres (juin 1840), ce qu'il regrette, c'est de ne l'avoir pas fait plus fort, afin d'y exprimer sur le compte de celui qui « incarne le matérialisme dans un chiffre armé » non pas son opinion, mais son mépris, sa haine, son horreur. Mêmes tendances dans le discours sur les « fortifications imbéciles » de Paris. Ce programme inspirera les vers magnifiques de la *Marseillaise de la paix* (mai 1841). Jamais l'esprit d'utopie n'a revêtu une forme plus éclatante. Le poète annonce qu'on ne se battra plus sur les bords du Rhin : les bateaux à vapeur qui sillonneront son cours ne porteront que des touristes ou des commerçants. La guerre n'est qu'un legs des temps de barbarie; avec la civilisation s'ouvre l'ère de la fraternité des peuples :

Et pourquoi nous haïr et mettre entre les races
Ces bornes ou ces eaux qu'abhorre l'œil de Dieu?
De frontières au ciel voyons-nous quelques traces?
Sa voûte a-t-elle en mer une borne, un milieu?
Nations, mot pompeux pour dire barbarie,
L'amour s'arrête-t-il où s'arrêtent vos pas?
Déchirez ces drapeaux; une autre voix vous crie :
L'égoïsme et la haine ont seuls une patrie;
La fraternité n'en a pas....

Ce ne sont plus des mers, des degrés, des rivières,
Qui bornent l'héritage entre l'humanité :
Les bornes des esprits sont leurs seules frontières,
Le monde, en l'éclairant, s'élève à l'unité.
Ma patrie est partout où rayonne la France,
Où son génie éclate aux regards éblouis!
Chacun est du climat de son intelligence.
Je suis concitoyen de toute âme qui pense :
La vérité c'est mon pays....

Faut-il continuer, citer l'apostrophe enthousiaste :

Vivent les nobles fils de la grave Allemagne!...

Mais puisqu'on fait honneur au poète-prophète de ses « anticipations », nous sommes bien obligés de constater sa formidable erreur.... Relisez encore le discours, d'ailleurs si éloquent, sur les Chemins de fer dont le développement amènera « la fin de la guerre dans le monde, la communauté des idées et des langues ». L'optimisme humanitaire s'y étale dans toute la splendeur de son ingénuité.

C'est avec sa lutte contre la coalition que Lamartine commence vraiment de jouer un rôle actif. Guizot, Thiers, Odilon Barrot, s'étant unis à la fin de 1838 pour renverser le ministère Molé, il défend le cabinet — il le défend à sa manière qui consiste à attaquer déjà fortement le régime lui-même : « Il ne faut pas vous figurer, messieurs, parce que nous sommes fatigués des grands mouvements qui ont remué notre siècle et nous, que tout le monde est fatigué comme nous et craint le moindre mouvement. Les générations qui grandissent derrière nous ne sont pas lasses, elles ; elles veulent agir et se fatiguer à leur tour. Quelle action leur avez-vous donnée? La France est une nation qui s'ennuie. » Le ministère eut la majorité : Lamartine se crut le chef des 221 députés qui avaient voté pour lui.

A la chute du ministère Thiers, il se persuada qu'il touchait de la main le pouvoir. Mais on ne voulait lui donner ni le ministère des Affaires étrangères, ni celui de l'Intérieur; il ne voulait se contenter ni d'un portefeuille secondaire, ni d'une grande ambassade. Le cabinet se forma sans lui (29 octobre), dont il conçut un violent dépit. Il commence par le soutenir; mais l'idée grandit en lui et le hante, qu'il est réservé pour un rôle exceptionnel, qu'il lui appartient d'être, dans une grande convulsion du pays, l'homme de la Providence.

Il se répète ce que Royer-Collard lui a dit du haut de sa cravate : « Monsieur, allez! vous avez de bien grandes destinées, les plus grandes, entendez-vous, monsieur!... C'est vous qui détruirez ces gens-là, mais avant ils auront détruit bien autre chose.... Respectez-vous! » Il suppute que les partis se succéderont au pouvoir, s'y useront. Puis « un grand flot de terreur me jettera au timon brisé. Je persiste dans cette idée : une tempête ou rien.... » Mot terrible, qui dépeint exactement un état d'âme. Transposition du fameux « Levez-vous, orages désirés! » Lamartine est le René de la politique.

Une nouvelle déception va précipiter son évolution. Au début de 1842, il est candidat à la présidence de la Chambre contre Sauzet. Il n'obtient que 64 voix. Dès le mois de février, il se déclare résolu à parler en « homme de grande opposition ». C'est dans la séance du 15 février qu'il saute le fossé. Pour caractériser la politique de résistance qui, depuis dix ans, est celle du gouvernement, il trouve ce mot qui fait fortune : « Il n'y aurait pas besoin d'un homme d'État, une borne y suffirait ». La discussion de l'Adresse, au début de 1843, lui est une occasion de se prononcer nettement : « L'opposition peut compter en moi un de ses plus confiants et de ses plus fermes auxiliaires ». Le succès que fit la Chambre à la réplique de Guizot, la fâcheuse attitude où se trouva Lamartine, achevèrent d'engager celui-ci du côté où il venait de verser.

On voit aisément quelle est la complexité des éléments qui ont déterminé cette évolution de Lamartine. Il proteste de son désintéressement, et il a droit de le faire. Il n'est à aucun titre le politicien qui recherche le pouvoir pour ses avantages : il « travaille pour Dieu », c'est-à-dire pour l'avènement d'un certain idéal. Poète dans la politique, il se sent à l'étroit dans la conception bourgeoise et conservatrice : l'idéal démocratique le tente par ses apparences généreuses et par ses vagues perspectives. Il s'enivre à mesure de cet idéal, il se grise dans l'action. Du poète il a encore la susceptibilité : les blessures d'amour-propre, dont il est justement ulcéré, mais qui sont la monnaie courante de la vie publique, exaspèrent son impatience et exaltent son désir passionné d'un changement.

Dans l'opposition Lamartine ne trouva pas la place qu'il espérait. Il se sentait suspect à tous les partis qui le tenaient pour un « roué dans l'embarras », quand il était plutôt le « niais honnête homme ». Les élections de 1846, qui marquèrent un véritable triomphe pour le ministère, diminuèrent encore sa situation dans le Parlement. En revanche son autorité sur l'opinion grandissait. Sainte-Beuve le constate : au dehors et sur le grand public son renom s'étend et règne de plus en plus ; il le sait bien, il y vise, et, souvent, quand il prononce à la Chambre des harangues qui la laissent distraite ou mécontente, ce n'est pas à elle qu'il s'adresse, c'est à la galerie, c'est au pays qui le lira : « Je parle par la fenêtre », dit-il expressément. Il se rendit compte de son impuissance : « Je n'ai rien à faire qu'à attendre, écrivait-il : le Roi est fou, M. Guizot est uue vanité enflée, M. Thiers une girouette, l'opposition une fille publique, la nation un Géronte. Le mot de la comédie sera tragique pour beaucoup. » Il cessa, pendant dix-huit mois, de parler à la Chambre; mais par les fenêtres il lança *les Girondins*.

C'est en 1843 qu'il les avait commencés. Au mois d'août, il achevait son premier volume et, dans le feu de l'enthousiasme, il déclarait : « Je n'ai rien gravé de ce style ». En octobre, il commençait le second volume et se rendait compte que son sujet embrassait toute la Révolution. Au mois de décembre 1846, l'ouvrage était terminé : il parut au mois de mars 1847. Le succès fut immédiat et énorme. Lamartine constate des « prodiges de passion pour *les Girondins*. Des femmes, les plus élégantes, ont passé la nuit pour attendre leur exemplaire. C'est un incendie! » Et encore : « On dit partout que cela sème le feu dur des grandes révolutions et que cela améliore le peuple pour les révolutions à venir. Dieu veuille! » Les éditeurs déclarent que *jamais* en librairie un succès pareil n'avait été vu. Lamartine a pour lui le public des salons et celui des ateliers : « C'est surtout le peuple qui m'aime et qui m'achète. » Au surplus, pour aider à l'enthousiasme de cette catégorie d'acheteurs, on fait, à son usage, des éditions populaires.

Si l'on veut apprécier l'effet produit dans la nation et dans l'esprit même de Lamartine par cette publication, — et mesurer d'un coup d'œil l'étape franchie, — il n'est que d'assister au fameux banquet offert par la ville de Mâcon à l'auteur des *Girondins*, le 18 juillet 1847. Quarante villes avaient envoyé des députations; une enceinte de prés d'un hectare de superficie avait été ménagée, un dôme de toile, des tables disposées en rayons et aboutissant à une table d'honneur, trois mille souscripteurs assis à ces tables, autant de spectateurs et de curieux, quinze cents femmes dans les costumes de la Bresse, du Mâconnais, du Jura et de la Suisse. Au moment des discours, un orage d'éclairs et de vent emporte le dôme de toile, ébranle la charpente sur la tête des six mille assistants. Après l'orage, et parmi les débris de toile, de charpente, de tables et de bancs, Lamartine se lève. Il indique la véritable idée des *Girondins* : c'est de rechercher l'étincelle primitive qu'alluma dans l'âme d'un grand peuple la flamme révolutionnaire, et de « rallumer cette flamme trop éteinte dans le cœur des générations qui nous suivent ». Il existe une doctrine de la Révolution; elle a pour dogmes : fraternité entre les nations, sécurité individuelle, souveraineté du peuple, liberté des cultes, liberté de penser et d'écrire. Si la royauté oublie qu'elle n'est qu'un « régulateur de mécanisme du gouvernement » et si elle contrarie l'avènement de la doctrine de 89, Lamartine est prêt à faire contre elle « la révolution du mépris ! »

Quand il reparaît à la Chambre, Lamartine y apporte toute l'exaltation révolutionnaire qu'il a prise à vivre avec les hommes de la Révolution devenus ses héros. Il est désormais acquis à l'opposition la plus avancée. Lui qui, jusqu'alors, s'était tenu à l'écart de la « campagne des banquets », il sera, dans l'affaire du banquet du XIIe arrondissement interdit par le gouvernement, pour l'opposition à outrance : « La place de la Concorde dût-elle être déserte, tous les députés dussent-ils se retirer de leur devoir, j'irai seul au banquet avec mon ombre derrière moi. » Le banquet fut ajourné.

Les 22 et 23 février, Lamartine n'avait pas paru dans la rue troublée par l'émeute. Le 24, apprenant que la Chambre était menacée d'être envahie, il y accourt à dix heures et demie du matin. Dès son arrivée, il est entraîné dans un bureau par un groupe de républicains de *la Réforme* et du *National*, Bastide, Hetzel, Marrast, Bocage. La question fut débattue : Régence ou République? Lamartine prit parti contre la Régence. Il se rendit alors à la salle des séances, vit entrer la duchesse d'Orléans avec ses deux fils ; Ledru-Rollin fit un long discours pour demander la constitution d'un gouvernement provisoire ; Lamartine prit la parole après lui. Son intervention allait être décisive. Pour beaucoup, qui n'étaient pas avertis du récent conciliabule, il était le suprême espoir de la Monarchie. Prendre sous sa protection une mère et ses deux fils, se faire l'avocat du malheur et de la faiblesse, c'était un rôle à tenter un poète. L'anxiété était grande. L'orateur eut un mot de pitié pour « l'un des spectacles les plus touchants que puissent présenter les annales humaines »; mais tout de suite il opina dans le sens de la victoire du peuple, et réclama qu'elle fût consacrée par la constitution d'un gouvernement populaire. Lui qui jadis, dans *Bonaparte*, avait écrit :

Ah! si rendant ce sceptre à ses mains légitimes,
Plaçant sur ton pavois de royales victimes,
Tes mains des saints bandeaux avaient lavé l'affront!
Soldat vengeur des rois, plus grand que ces rois mêmes,
De quel divin parfum, de quel pur diadème
L'histoire aurait sacré ton front!

le rôle d'un Monk parlementaire ne le tenta point. Un autre l'attirait dont il suivait depuis longtemps le mirage et dont le fantôme venait soudain de prendre corps à ses yeux.

Les noms de Lamartine, Ledru-Rollin, Arago, Dupont de l'Eure, Marie, furent acclamés. « A l'Hôtel de Ville, Lamartine en tête! » cria l'acteur Bocage. Et lentement, poussé, retardé, coupé, soulevé par les remous de la foule, le gouvernement provisoire se mit en route le long des quais noirs de monde. Il était trois heures et demie. Arrivé à l'Hôtel de Ville, Lamartine erra de corridors en salles, haranguant sans cesse la foule. Enfin dans le salon de réception du premier étage se trouvèrent réunis les membres du gouvernement — partis cinq, arrivés sept, par l'adjonction de Crémieux et Garnier-Pagès. Leur premier soin fut de lancer, en leur nom et en faveur de l'émeute victorieuse, une proclamation au Peuple français qui fut rédigée par Lamartine. Ils se distribuèrent les portefeuilles : Lamartine eut les Affaires étrangères. Cependant Louis Blanc et l'ouvrier Albert étaient venus réclamer une place dans le gouvernement; ils n'y avaient pas plus de droits que les autres, mais ils n'en avaient pas moins. Les cinq, devenus les sept, se trouvèrent ainsi être les neuf. Maintenant la nuit était tombée; des rumeurs inquiétantes grondaient dans l'ombre et s'y exagéraient. En toute hâte, Lamartine se rendit à la salle Saint-Jean où *il* harangua dans les ténèbres. Tandis que se répandaient les ondes de son éloquence magnifique, Louis Blanc, pratique, déclarait au peuple massé devant l'Hôtel de Ville : « le gouvernement provisoire veut une République ».

Dans tout cela quel avait été le rôle de Lamartine? Dans quelle mesure avait-il été l'acteur ou l'instrument, le maître ou le jouet des événements? La République s'était faite sous ses yeux : il lui restait à en être le porte-parole.

Les socialistes ne perdirent ni un jour, ni une heure, pour donner l'assaut au gouvernement nouveau. Le 25 février, une troupe nombreuse envahit la place de grève en agitant des drapeaux rouges. Marie et Garnier-Pagès, alors seuls à l'Hôtel de Ville, ne parviennent pas à se faire entendre. Lamartine se fraie un passage jusqu'au grand escalier, et là, monté sur une chaise à demi brisée, il déclare : « Je repousserai jusqu'à la mort ce drapeau de sang. et vous devriez le répudier plus que moi, car le drapeau rouge que vous nous rapportez n'a jamais fait que le tour du Champ-de-Mars, traîné dans le sang du peuple, en 91 et 93, et le drapeau tricolore a fait le tour du monde, avec le nom, la gloire et la liberté de la patrie ». Le courage et l'éloquence de Lamartine brisèrent l'élan de la foule. Une menace de Terreur, en tout cas une honte était écartée : c'est un des plus beaux triomphes de l'éloquence, et le principal titre de Lamartine homme politique.

Sa popularité, à travers ces orages, ne cesse de grandir. Le pays s'engoue de cet Orphée qui dompte avec des mots la Bête populaire. Il est le sauveur. Et il croit tout sauvé : « Tout est gagné. La République nouvelle, pure, sainte, immortelle, populaire et transcendante, pacifique et grande est fondée! » C'est devant cet infini de naïveté que Sainte-Beuve s'écriait : « O poète! »

Lamartine n'allait pas tarder à être rappelé à la réalité. Après la journée insurrectionnelle du 17 mars, il sent la nécessité de se rapprocher de Ledru-Rollin. Il avait — partisan du suffrage restreint — reconnu et subi la nécessité de se rallier au décret de suffrage universel. Il crut pouvoir et devoir, lui, le grand ennemi du socialisme et de l'anarchie, négocier avec les chefs des partis avancés. Il vit Caussidière, Sobrier, Barbès, Blanqui; outre ces conférences avec les chefs politiques, il en eut avec les socialistes purs, Cabet, Raspail, Lamennais. « Cette idée, écrit justement M. P. Quentin-Bauchart, reposait chez lui sur une confiance énorme en sa supériorité intellectuelle, en son éloquence, en sa force persuasive. Convaincu que ces violents n'étaient pas pervers, mais égarés, il conçut l'audacieuse pensée de se les attirer par la seule puissance de sa parole, et de les constituer ainsi défenseurs des idées mêmes qu'il combattaient. » Mais il y a une force des choses et une logique des faits. Bientôt ce partisan déclaré du pouvoir civil comprendra que, sous la République comme sous la Monarchie, le véritable soutien de l'ordre reste l'armée régulière. Alors, il appelle à Paris Cavaignac, noue des relations secrètes avec Négrier, et, le 16 avril, contre la manifestation organisée par les clubs et Louis Blanc, c'est avec les soldats commandés par Changarnier qu'installé à l'Hôtel de Ville il résiste victorieusement au peuple.

Par bonheur, et quoi qu'on puisse penser de la politique intérieure de Lamartine, les services qu'il a rendus par sa politique extérieure sont incontestables. Il était partisan de la paix, il avait passé par les chancelleries et il était bien élevé : il ne se soucia ni de déclarer la guerre aux tyrans, ni de troubler les États voisins par une inconvenante propagande.

Les élections eurent lieu le 27 avril. Elles donnèrent à Lamartine, élu dans dix départements, 1 600 000 voix.

Il semblait que ce fût le triomphe : c'était la fin.

Lamartine croyait n'avoir qu'un mot à dire pour être nommé dictateur; en réalité, il n'avait jamais été si loin du premier rôle. Les élections s'étaient faites contre Ledru-Rollin avec qui maintenant il avait partie liée et pour cette politique modérée dont il s'était progressivement écarté. — Nommé l'avant-dernier sur la liste de la Commission exécutive qui remplaçait le gouvernement provisoire, il va voir chaque jour décliner son prestige et s'évanouir son influence. Au 15 mai, il assiste impuissant à l'envahissement de l'Assemblée et, inutile, à sa délivrance. Le 23 juin, il s'effondre avec la Commission exécutive dont l'Assemblée délègue les pouvoirs à Cavaignac, en qui seul elle a confiance pour réprimer l'émeute. — En décembre, lors de l'élection présidentielle, Lamartine qui n'avait ni posé, ni décliné la candidature, et qui comptait sur 500 000 voix, en a 17 910 contre 270 000 à Ledru-Rollin, 1 500 000 à Cavaignac, et 5 millions et demi au prince Louis-Napoléon.

Voilà ce que la politique a fait de ce grand homme : l'élu qu'abandonnent ses électeurs, — un synonyme de rien.

VII

LA VIEILLESSE

Alors commence la vieillesse douloureuse. Tout va manquer à la fois à Lamartine. Ce n'est pas seulement son rôle politique qui est terminé; le mouvement littéraire se fait aussi bien en dehors de lui, sinon contre lui. En toutes choses, il assiste à la ruine de son idéal, au triomphe de ce qu'il avait ardemment combattu. Et, au même moment, les durs problèmes de l'existence matérielle se dressent devant lui. Voici dans l'humide pavillon plein d'ombre de la rue de la Ville-l'Évêque, qui remplace les beaux salons encombrés de visiteurs de la rue de l'Université, les années d'abandon et de détresse.

Je ne sais pourtant si jamais la figure de Lamartine est apparue plus noble que pendant ces années d'adversité. Car cette vieillesse est triste, elle n'est pas chagrine; elle est désolée, elle n'est pas morose. Point de rancunes, point de récriminations, mais la destinée acceptée avec sérénité. C'est un Lamartine, et c'est lui seul, qui peut écrire : « Je quitte sans regret les affaires publiques, parce que je ne m'y suis jamais mêlé dans la pensée de faire des hommes ou des événements l'instrument de ma fortune, de ma puissance ou de ma renommée.... Si mon pays ne veut plus de moi, je ne lui reproche ni injustice, ni inconstance, ni ingratitude; je le remercie de me congédier et je passe avec joie au service d'un meilleur maître, auquel je désire consacrer mes dernières années dans la solitude, dans la contemplation et dans la confession du peu de vérités qu'il est donné à l'homme d'entrevoir ici-bas. C'est le soir que la lampe du sanctuaire et du foyer intérieur s'allume, que la fumée monte des hauts lieux et que la terre, où tout fait silence, ressemble à un encensoir balançant devant l'âme universelle et devant le Dieu caché, les actes de foi, les hymnes et les parfums de sa création. J'ai été le bruit et le mouvement pendant quelques heures, je serai le silence et l'hymne à mon tour. Un peu de ce siècle porte mon nom, c'est assez; c'est l'heure de se taire, de disparaître et de se préparer au grand pas de l'éternité. » Ces dernières années que Lamartine, sans se désintéresser du présent, passe dans le souvenir, dans la méditation, dans l'examen de ses actes qu'il juge, le grandissent singulièrement.

« Il faut payer ses qualités, a écrit quelque part Mme de Lamartine : l'optimisme, l'idéal, le génie sont de grands dons entraînant de grandes peines. La réalité disparaît sous les perspectives idéales, et lorsque la vraie situation se révèle, c'est un éclair qui précède à peine la foudre. » La vraie situation qui se révéla à Lamartine, au lendemain de sa chute politique, était la plus cruellement prosaïque et la plus effroyable : le chiffre de ses dettes s'élevait à cinq millions de francs. Il n'est pas indifférent de rechercher quelle fut l'origine de ces dettes. On a dit qu'elle était dans les dépenses occasionnées par le luxe dont Lamartine aima toujours à s'entourer; mais on a fort exagéré ce luxe prétendu d'un train de maison relativement modeste. On a parlé du faste avec lequel il avait organisé son voyage en Orient : ce voyage, si fâcheux à d'autres points de vue, lui rapporta autant qu'il lui avait coûté. Il faut aller chercher ailleurs les causes d'une situation déjà ancienne, puisque, dès l'année 1835, Lamartine avouait à Virieu qu'il était ruiné. Elles n'ont, au surplus, rien que d'infiniment honorable. C'est d'abord sa générosité inconsidérée. Il donnait en toute occasion et sans compter. Il continua d'ailleurs, au temps même de sa pire détresse : comme toujours, la nature était la plus forte. Cette générosité trouva amplement à s'exercer à l'époque du gouvernement provisoire : Lamartine jeta des sommes importantes au milieu des misères et des lamentations du commerce parisien. Mais la cause principale, et qui prime toutes les autres, ce fut ce goût de la terre qu'il eut en vrai paysan qu'il était. Dans les successions de famille, il prenait pour lui les biens de terre, qui lui coûtaient, en raison de leur entretien, et pour lesquels il servait aux siens une rente supérieure au revenu réel. Il en achetait d'autres. Il bâtissait. Il plantait. Vigneron, il faisait avec les vignerons du voisinage des affaires « merveilleuses » qui étaient deux fois un désastre. Il leur achetait, sur parole ou sur billets, leurs récoltes futures pour un prix qu'elles ne valaient pas; puis, ces récoltes en espérance lui constituaient une base de crédit, un gage pour des combinaisons financières qui régulièrement se soldaient en perte. Cette manie de la spéculation agricole — où se combinent son amour de la terre, son instinct de joueur, son incurable optimisme — voilà ce qui l'a ruiné.

Et Lamartine n'admit jamais qu'il pût faire perdre un sou à ceux qui avaient cru en lui, alors même qu'ils auraient, ces bons villageois, un peu abusé de sa propre crédulité. Il eut des « accès de désespoir » pendant lesquels il songea au suicide. Mais il n'était pas de la religion de Caton. Le suicide lui apparaissait comme une désertion : il était fait pour la lutte. Elle s'offrait sous une forme nouvelle, et allait révéler en lui, une fois de plus, des ressources d'énergie admirables.

Il espéra d'abord sauver ses propriétés de France par ses propriétés d'Orient. Le sultan Abdul Medjid, pour le remercier d'avoir célébré l'Orient en vers et en prose, lui avait concédé une propriété de 20 000 hectares dans la plaine de Burgaz Owa. Lamartine fit un second voyage en Orient, en 1849, pour visiter ses domaines smyrniotes. Il en revint, enthousiasmé, comme toujours. Il s'occupa de réunir des fonds pour les premiers frais d'exploitation : il ne put trouver de capitaux.

Il ne lui restait en vérité que le travail. Il s'y jeta à corps perdu. Au retour du second voyage d'Orient, tristement terminé par la mort de M. de Champaux, il fonde *le Conseiller du peuple*, qui vécut jusqu'au 2 décembre 1851, puis *le Pays*, avec le vicomte de la Guéronnière, enfin *le Civilisateur*, recueil purement littéraire qui devait être remplacé en 1856 par le *Cours familier de littérature*. Désormais nous le verrons attaché sans répit à cette besogne âpre et décevante : « Je suis comme Cicéron qui écrivait plus que ses deux secrétaires ne pouvaient copier. » (1852.) « Je suis en plein volume de l'*Histoire de 1789*, magnifique sujet, supérieur mille fois à la *Restauration* et même aux *Girondins*. Le 1er avril j'aurai deux volumes. Je passe mes nuits à l'ouvrage. » (15 novembre 1852.) « Mon oncle travaille énormément, écrit, le 31 octobre 1857, Valentine de Cessia. Il vient, en huit jours, de faire cinq cents pages de la *Vie d'Alexandre le Grand*.... » Ce sont les travaux forcés de la copie.

Ce labeur acharné ne put préserver le cher Milly, qui fut vendu en 1861. La ruine et la mort étendaient leur empire. L'admirable compagne du poète le quittait en 1863, laissant à une autre plus jeune, sa nièce Valentine, le soin de veiller sur le pauvre grand homme. Les forces déclinaient ; l'abîme de la misère grandissait. Enfin le gouvernement de Napoléon III, en accordant à Lamartine, sur la demande de M. Émile Ollivier et à titre de récompense nationale, une rente de 25 000 francs, lui permit de trouver, à l'approche de ses derniers jours, un peu de repos. Spectacle plein de larmes! oui, certes. Et pourtant à d'autres fins de carrière, tout illuminées d'une lueur d'apothéose, nous préférons cette vieillesse qui expie. Sur le soir de la vie, comme sur la journée finissante, nous voulons voir tomber la mélancolie suprême, comme une ombre où tout va s'évanouir. Et nous savons gré à ces demi-dieux, qui sont quand même des hommes, de subir, eux aussi, cette loi de toute destinée humaine qui est de s'achever dans la douleur.

DEUXIÈME PARTIE

I

LES *MÉDITATIONS*[1]

Le génie de Lamartine apparaît tout formé dans les *Méditations* : on est tenté de croire à une révélation soudaine et magnifique. Le poète souhaitait qu'il en fût ainsi, et que la source du fleuve restât cachée. Il affectait de n'être en littérature qu'un « amateur très distingué », accréditant volontiers cette opinion que son talent était spontané et ne devait rien à l'étude. Pas d'apprentissage, pas d'exercices préparatoires :

> Jamais aucune main sur la corde sonore
> Ne guida dans ses jeux ma main novice encore;

mais l'amour et la mort ont touché son âme et en ont fait jaillir d'immortels chants d'amour.... La vérité est tout autre, nul ne pouvant se vanter que l'ordre de la nature ait été dérangé à son profit : les *Méditations* sont l'aboutissement d'une longue série d'essais poétiques. Dès l'âge de dix-huit ans, au sortir du collège, Lamartine se met à écrire des vers et, durant toute sa jeunesse, il ne cesse de rimer patiemment et abondamment. D'ailleurs, sans le vouloir et par une de ces contradictions qui sont fréquentes

1. Voir l'édition des *Méditations* publiée par M. G. Lanson dans la *Collection des Grands Écrivains de la France*, 2 vol., Librairie Hachette, 1915.

sous sa plume, il lui est arrivé d'en faire l'aveu. Dans le discours *Des destinées de la poésie*, il déclare qu'il jeta au feu « des volumes de vers écrits dans les deux ou trois années qui précédèrent la publication des *Méditations* ». C'étaient ces « quatre petits livres d'élégies » qu'il avait été sur le point de faire paraître en 1816 et que, par un juste sentiment de leur imperfection, il détruisit.

Qu'aurait été ce premier recueil? Il est possible d'en juger en réunissant les pièces dont est remplie, de 1808 à 1816, la *Correspondance* du poète et qui sont adressées, pour la plupart, à Aymon de Virieu, ou à Guichard de Bienassis. On y voit se dessiner une première manière, très caractéristique, très curieuse. Poésies de jeunesse sans doute, mais d'une jeunesse qui se prolonge au delà des vingt-cinq ans. Ce qu'il y a de tout à fait remarquable dans ces ébauches, où presque rien ne faisait présager le futur lyrisme du poète, c'est qu'elles retardent même sur l'époque à laquelle elles furent composées ; toutes, sauf quelques rares pièces postérieures à 1813, se réfèrent à une poétique déjà surannée. C'est loin en arrière que le jeune Lamartine va chercher ses maîtres et ses modèles. Un de ses genres favoris est l'épître en vers à la manière du XVIIIe siècle. Certaines de ces épîtres, solennelles et guindées, froides, doctorales, prosaïques, évoquent fâcheusement le souvenir d'Houdar de la Motte et de ses dissertations en vers : celle, par exemple, qui est intitulée l'*Amitié* :

> Qu'est-ce que l'amitié? Le lien de deux cœurs,
> Qu'unissent la vertu, les goûts et les humeurs,
> Divin attachement, né de la sympathie
> Que le sentiment forme et le temps fortifie....

D'autres, plus familières, font songer à Voltaire. On sait par la *Correspondance* de Lamartine qu'il était tout imbu de Voltaire; il semble même que, de 1808 à 1813, il l'ait pris pour maître à versifier et qu'il ait eu constamment ses œuvres sous les yeux.

Son inspiration se fait-elle plus légère? Ce sont les petits poètes de la fin du XVIIIe siècle qu'il imite, Bertin, Dorat, surtout Parny, dont il célébrera la mort en 1814, par une élégie. Fade galanterie, froid libertinage, tout ce qui caractérise ces faux élégiaques se retrouve alors chez Lamartine.

C'est seulement à partir de 1813 qu'il semble, pour ainsi dire, se mettre à la nouvelle mode poétique. Il use alors — et il abuse — des cyprès, des saules pleureurs, des tombeaux, des ruines, et de tout le décor cher aux poètes pré-romantiques de l'Empire. Son épître sur *les Sépultures,* sa romance *le Saule pleureur* :

> De mon Emma toi qui couvres la cendre,
> Sur son destin tu me parais pleurer,
> Et tes rameaux se plaisent à descendre
> Vers un gazon qui semble t'attirer,

sont d'un bon élève de Chênedollé ou de Fontanes, sans plus. Mais déjà telle strophe, d'une inspiration puisée à une source plus profonde, fait prévoir *le Lac* et les vers tout baignés d'infini des *Méditations* :

Coulez, jours fortunés, coulez plus lentement,
Pressez moins votre course, heures délicieuses,
Laissez-moi savourer ce bonheur d'un moment.
Il est si peu d'heures heureuses!

Avant de montrer comment les *Méditations* donnèrent son expression définitive à l'idéal poétique qui peu à peu s'était formé dans les imaginations et dans les cœurs, il est nécessaire d'indiquer par quelle préparation lente, de quels éléments et sous quelles influences s'était formé cet idéal.

Le travail commence avec le XVIIIe siècle; le principe sur lequel avait vécu notre littérature classique est à bout de sève : on est dégoûté de la raison. Avec les romans de l'abbé Prévôt et la comédie larmoyante de La Chaussée, la sensibilité rentre en scène. La passion fait dans l'œuvre de J.-J. Rousseau une explosion soudaine et envahit toute la littérature. Désormais rien n'arrêtera plus le courant parti de la *Nouvelle Héloïse* et des *Confessions* et renforcé par l'œuvre de Bernardin de Saint-Pierre.

Dans ce réveil de l'imagination et ce retour à la sensibilité, les influences venues de l'étranger ont leur part. On sait à quel point notre littérature du XVIIIe siècle est imprégnée de l'esprit anglais. L'héroïde fameuse de Pope, *Lettre d'Héloïse à Abélard*, traduite ou imitée depuis 1751, inaugure la série des œuvres de poésie sombre. *Les Saisons* de Thomson, traduites en 1759, donnent l'exemple d'associer la nature aux tristesses et aux joies de l'amour. *Les Nuits* d'Young (1769), nous apportent tout l'arsenal de la poésie funèbre : nuit, lune, tombeaux, fantômes, la mort des êtres et la fin du monde. *Les Tombeaux* d'Hervey (1770), l'élégie de Gray, *Sur un cimetière de campagne*, imitée par Fontanes dans *le Jour des morts*, appartiennent à la même inspiration. Shakespeare, dont Letourneur donne en 1776 la traduction complète, a ses apparitions et ses sorcières, sa terrasse d'Elseneur et ses landes désertes, son fossoyeur au cimetière. Ossian (1776), l'Homère septentrional, qui pendant cinquante années tiendra, dans l'admiration des nouveaux écrivains, la même place qu'avait tenue Homère auprès des écrivains classiques, nous révèle, ce qui est en effet une grande nouveauté, la poésie de la nature sauvage, âpre, farouche; et c'est chez lui, dans une lueur crépusculaire, le mirage perpétuellement changeant des nuées où passent les âmes des héros défunts, vision d'un monde fantastique et sublunaire.

La littérature allemande opère dans le même sens. Huber révèle Gessner et publie en 1766 le *Choix de Poésies allemandes*. Notons surtout le profond et durable ébranlement qu'imprime à la sensibilité européenne la publication de *Werther*.

Ainsi surgit, dès la fin du XVIIIe siècle, un nouveau monde poétique. La mélancolie y plane en souveraine; c'est autour d'elle et c'est à son appel que s'organisent toutes les images, et naissent tous les sentiments qui seront sa marque. L'âme est triste et projette sa tristesse sur les choses. Elle se plaît aux rêveries vagues et leur choisit un cadre en harmonie avec elles. C'est la saison d'automne avec son pâle sourire de soleil mourant et son bruissement de feuilles sèches. C'est le soir avec son atmosphère vaporeuse où se prolonge la vibration des cloches. C'est la nuit où tremblent les clartés de la lune, où les étoiles brillent comme des pleurs de lumière. Ce sont des paysages où ne sont admis que les saules et les cyprès, où la perspective est fournie par des églises de campagne et des cloîtres aux arceaux ténébreux, propices à la méditation, à moins que ce ne soit par des tombeaux et des ruines.

Cette sensibilité nouvelle va trouver d'abord sa complète expression dans la prose. Elle sera consacrée, dès les débuts du XIXe siècle, par les chefs-d'œuvre du roman personnel. A travers les pages troublantes des plus fameux de ces romans, on découvre déjà tous les thèmes que nous retrouverons dans la poésie lyrique, à partir de 1820 : les plus nobles, ceux qui proviennent du tourment métaphysique, comme les plus médiocres aussi et ceux qui ne sont que déclamation toute pure. Le morne, l'ennuyé, l'ennuyeux auteur des *Rêveries* et d'*Oberman*, est par instants un paysagiste exquis. Celui du *Peintre de Salzbourg* écrit : « Souvent, quand la nature sourit au soleil couchant, je m'assieds sur la pente d'un coteau, sous quelque chêne centenaire » ; et elle est du sec et sceptique *Adolphe*, la page si tendre : « Charme de l'amour, qui pourrait vous peindre?... »

Mais il suffit de relire les deux romans du grand enchanteur, Chateaubriand ; on constate, presque à chaque page, que, pour en faire une *Méditation*, une *Harmonie*, il n'y manque que la cadence du vers et la rime. Dans *Atala* (1801) se trouve l'épisode d'une promenade sentimentale en barque : « Atala et moi nous joignions notre silence au silence de cette scène du monde primitif, quand, tout à coup, la fille de l'exil fit éclater dans les airs une voix pleine d'émotion et de mélancolie.... Rien n'interrompait ses plaintes, hors le bruit sensible de notre canot sur l'onde. » C'est déja *le Lac*. Le Sachem aveugle tire de son sein le crucifix d'Atala : « N'y vois-tu pas la trace de ses larmes? Pourrais-tu ne point reconnaître l'endroit qu'une sainte a touché de ses lèvres? » Ce sera *le Crucifix*. Faut-il rappeler les funérailles d'Atala, qui deviendront dans *Jocelyn* les funérailles de Laurence? Feuilletons *René*. Nous y trouverons ce goût de la rêverie qui s'éveille à tout propos : « Qu'il fallait peu de chose à ma rêverie! Une feuille séchée que le vent chassait devant moi, une cabane dont la fumée s'élevait dans la cime dépouillée des arbres, la mousse qui tremblait au souffle du nord sur le tronc d'un chêne, une roche écartée, un étang désert où le jonc flétri murmurait. » Voici le sentiment des harmonies de la nature et de l'accord secret qui apparie ses tristesses aux nôtres : « Tantôt nous marchions en silence, prêtant l'oreille au sourd mugissement de l'automne ». Voici la poésie des ruines : « Je m'en allai, m'asseyant sur les débris de Rome et de la Grèce.... Souvent, j'ai cru voir le Génie des souvenirs assis tout pensif à mes côtés.... » La poésie du christianisme, tout au moins sa poésie extérieure, apparaît en maints passages : « J'ai souvent entendu dans les grands bois, à travers les arbres, les sons de la cloche lointaine.... J'erre encore, au déclin du jour, dans les cloîtres retentissants et solitaires. » Nous pourrions multiplier ces analogies. Aux yeux de René, le poète est un inspiré, l'artiste est un être à part. Tout à la fois, il goûte la douceur de la solitude et il ressent l'âpre douleur de l'isolement. Il médite sur la mort, et la leçon qu'il en tire est celle de l'immortalité. Il aspire à une félicité qui n'a pas de nom au terrestre séjour : « Hélas! je cherche seulement un bien inconnu dont l'instinct me poursuit ».... Ainsi ce petit livre que toute la jeunesse lettrée allait savoir par cœur contenait toute la substance de la poésie de demain, traduite en un langage à peine moins harmonieux, dans cette prose dont la musique éveille en nous tout un monde d'émotions mystérieuses.

D'une allure plus lente, plus hésitante, plus timide, la poésie suivait ce mouvement et se pénétrait des sentiments nouveaux. On n'aurait pas de peine à noter la trace de ces nouveautés et aussi de ces hésitations dans l'œuvre des poètes de la fin de l'empire, les Fontanes, les Millevoye et les Chênedollé. Mais pour qu'elle trouvât son expression complète, il fallait attendre les *Méditations*.

Pour en bien apprécier le caractère et comprendre

ce qu'elles apportaient à notre littérature, il est nécessaire de considérer uniquement les quelques pièces qui en contiennent l'essence. Laissons donc de côté, quelles qu'en soient d'ailleurs les beautés, les dissertations morales à la manière des *Discours en vers* de Voltaire : *l'Homme*, *l'Immortalité*, *le Désespoir*, *la Providence à l'homme*, *la Prière*, *la Foi*. Les idées ne sont plus les mêmes et c'est dans un esprit chrétien que le poète aborde les grands mystères de tous les temps; mais la forme est, à peu de chose près, celle qui, dans les deux siècles classiques, avait servi au genre didactique. Ne négligeons pas, mais omettons volontairement, après y avoir signalé la puissance du souffle, les odes telles que *l'Enthousiasme*, *la Gloire*, *le Génie*, ou encore *la Semaine sainte*, *Dieu* : elles ne font guère que continuer le lyrisme traditionnel, en remontant à J.-B. Rousseau et même à Malherbe qu'elles ne font pas oublier. L'unique pièce italienne, *le Golfe de Baïa*, porte davantage la marque de la sensibilité moderne. Mais les pièces vraiment originales, c'étaient *l'Isolement*, *le Soir*, *le Vallon*, *le Souvenir*, *le Lac*, *le Temple*, *le Chrétien mourant*, *l'Automne*.

Elles sont toutes simples et, comme on dit, faites avec rien. La première, *l'Isolement*, est vraiment la préface de tout le recueil. Ce n'est pas sans raison que le poète a placé cette pièce si caractéristique en tête du volume. Elle donne l'atmosphère et la teinte d'une poésie faite de rêverie tendre et triste.

Dans cette pénombre on peut suivre, à sa ligne imprécise, à son contour à peine indiqué, un roman d'amour. Le poète a rencontré une jeune femme, créature angélique et dont il doute si elle est de cette terre. (*Invocation.*) L'amour qu'elle lui a inspiré est si pur qu'il peut en porter l'ardeur aux pieds même des autels de Dieu. (*Le Temple.*) Leur commune exaltation se changeait en extase pieuse. Dans l'heureux séjour où naquit d'un regard leur immortel amour, devant les rochers, au bord des lacs mélancoliques, elle lui faisait découvrir le Dieu caché dont la nature est le temple. (*L'Immortalité.*) Mais ce bonheur devait être court. Une année à peine s'était écoulée, l'amant revenait seul aux lieux témoins de leur félicité d'antan. Et il songeait douloureusement qu'elle ne reviendrait plus, qu'un destin jaloux la lui avait enviée, et faisait déjà de leur amour un souvenir. (*Le Lac.*) La mort, une mort prématurée et deux fois cruelle, s'est abattue sur cette tête si chère; et dans sa révolte, l'amant a senti monter de son cœur à ses lèvres les paroles de blasphème. (*L'Homme.*) Cette violence de désespoir a bientôt fait place à une tristesse plus calme et plus profonde. C'est maintenant l'indifférence à toutes choses. Plus ne m'est rien et rien ne m'est plus. Toutes les impressions se sont effacées, hors celle de ce grand amour qui, blessé, meurtri, ruiné, rend au poète la vie insupportable et lui fait souhaiter le départ vers les sphères où les âmes se retrouvent. (*Le Vallon. — L'Isolement.*) Qui sait, pourtant?

L'amour laisse après lui le souvenir qui parfume et embellit toutes choses. (*Le Soir.*) Et la vie, ingénieuse à panser les blessures qu'elle a faites, a des retours et des recommencements. (*L'Automne.*)

Ainsi l'amour est à l'origine de toute cette poésie. C'est lui qui en fait, à son appel, surgir et se rassembler tous les éléments. C'est lui, le grand magicien, qui, d'un coup de sa baguette, la crée à sa ressemblance. Il est, cet amour, à la fois toute ardeur et toute pureté, non pas spiritualisé par une renonciation à une partie de lui-même, mais anobli par sa constance et par le don définitif de tout l'être, par ce qu'il y a en lui d'absolu. Amour malheureux, non par la faute des amants, mais par celle de la destinée qui, après les avoir rapprochés pour quelques jours, a creusé entre eux l'abîme insondable de la mort. Un tel amour ne peut éveiller que des émotions douloureuses et nobles. Il présente à l'esprit l'image d'une femme aimée pour ses perfections, objet d'un culte presque religieux. Il fait communier l'âme avec toute la nature et dégage de cette nature les aspects, les couleurs ou les nuances en harmonie avec lui. Et pareil à la flamme, qui tend toujours à monter, il élève l'homme au-dessus des réalités terrestres et lui fait prendre conscience de la partie divine qui est en lui.

La merveille du recueil, c'est cette pièce dont il faut bien redire qu'elle est un des chefs-d'œuvre de la littérature de tous les temps, une des perles les plus rares de la poésie universelle : *le Lac.* Relisons cette délicieuse élégie. Le début, par son ampleur, par la perspective ouverte sur l'immensité des temps, ôte à la pièce le caractère individuel, et nous avertit du lien qui rattache toutes les douleurs humaines :

Ainsi toujours poussés vers de nouveaux rivages,
Dans la nuit éternelle emportés sans retour,
Ne pourrons-nous jamais sur l'océan des âges
Jeter l'ancre un seul jour?

L'amour, dont le poète va évoquer l'enivrant souvenir, est celui sur lequel plane déjà l'image de la mort et qui en devient sacré :

O lac! l'année à peine a fini sa carrière,
Et près des flots chéris qu'elle devait revoir,
Regarde! Je viens seul m'asseoir sur cette pierre
Où tu la vis s'asseoir.

Tu mugissais ainsi sous ces roches profondes
Ainsi tu te brisais sur leurs flancs déchirés,
Ainsi le vent jetait l'écume de tes ondes.
Sur ses pieds adorés.

Voilà le cadre immuable : le lac et sa ceinture de rochers. Et voici la scène éphémère. Un soir, les deux amants voguent en silence : une voix — cette divine voix de la femme qu'on aime — s'élève et dit la brièveté de nos joies et la folie d'attendre pour jouir de la vie :

Un soir, t'en souvient-il, nous voguions en silence,
On n'entendait au loin, sur l'onde et sous les cieux,
Que le bruit des rameurs qui frappaient en cadence
Tes flots harmonieux.

Tout à coup des accents inconnus à la terre,
Du rivage charmé frappèrent les échos :
Le flot fut attentif et la voix qui m'est chère
Laissa tomber ces mots :

« O temps suspends ton vol ! et vous, heures propices,
Suspendez votre cours!
Laissez-nous savourez les rapides délices
Des plus beaux de nos jours!.... »

Ce thème de l'antique tristesse épicurienne est repris et renforcé par l'opposition entre les choses qui durent et l'homme qui passe :

Temps jaloux, se peut-il que ces moments d'ivresse,
Où l'amour à longs flots nous verse le bonheur,
S'envolent loin de nous de la même vitesse
Que les jours de malheur?

Eh quoi, n'en pourrons-nous fixer au moins la trace?
Quoi! passés pour jamais! Quoi! tout entiers perdus!
Ce temps qui les donna, ce temps qui les efface,
Ne nous ne les rendra plus!

Éternité, néant, passé, sombres abîmes,
Que faites-vous des jours que vous engloutissez?
Parlez : nous rendrez-vous ces extases sublimes
Que vous nous ravissez?

Ces extases pourtant ne disparaissent pas tout entières : elles prêtent à la nature une âme, reflet de la nôtre. Ce qui fait son sourire et sa grâce, et sa tristesse et sa langueur, ce sont les souvenirs d'amour qui y flottent et s'y éternisent :

O lac, rochers muets, grottes, forêt obscure!
Vous que le temps épargne ou qu'il peut rajeunir,
Gardez de cette nuit, gardez, belle nature,
Au moins le souvenir!

Qu'il soit dans ton repos, qu'il soit dans tes orages,
Beau lac, et dans l'aspect de tes riants coteaux,
Et dans ces noirs sapins, et dans ces rocs sauvages
Qui pendent sur tes eaux!

Qu'il soit dans le zéphyr qui frémit et qui passe,
Dans les bruits de tes bords par tes bords répétés,
Dans l'astre au front d'argent qui blanchit ta surface
De ses molles clartés!

Que le vent qui gémit, le roseau qui soupire,
Que les parfums légers de ton air embaumé,
Que tout ce qu'on entend, l'on voit ou l'on respire,
Tout dise : ils ont aimé!

Admirons ici ce parfait accord, cette harmonie intime où l'on reconnaît le chef-d'œuvre d'art destiné à devenir classique. La nature et l'homme sont associés sans que l'être humain soit écrasé par le cadre que lui font les choses. Le souvenir et l'imagination se mêlent au point qu'on ne peut préciser les limites de celle-ci et de celui-là. Aucun trait ne vient individualiser l'héroïne et sa plainte est celle de toute créature qui aime et souffre que le temps soit mesuré aux joies de son amour. Le paysage est réduit à ses grandes lignes : un lac, des coteaux boisés, les flots sur lesquels glisse une barque. Nulle image n'est évoquée sauf les plus fluides, ou les plus aériennes; le temps qui coule, la vie qui passe. Une fine clarté pénètre toute la scène et les plus pures mélodies de la création s'y unissent : le murmure des flots, le souffle du vent, le soupir du roseau, une voix de femme. Les mots sont aussi peu chargés que possible de substance et presque translucides : l' « océan des âges », les

« accents », le « vol » du temps, l' « astre au front d'argent ». La strophe d'une coupe déjà connue, éprouvée, sans rien qui surprenne et qui déconcerte, est caressante à l'oreille et berce l'esprit de sa cadence régulière. Ainsi se trouve réalisé le type même d'une poésie immatérielle, imprécise comme le rêve, et harmonieuse comme la musique.

II

LES *NOUVELLES MÉDITATIONS*

Les *Méditations* sont le chef-d'œuvre de l'élégie amoureuse et plaintive, unissant le souvenir de l'amour, l'émotion devant la nature, le désir de la mort. Cette veine poétique était trop riche pour qu'un seul recueil l'eût épuisée; nous la verrons se continuer dans quelques pièces des *Nouvelles Méditations*. La poésie du crépuscule, le rêve devant la nuit étoilée ou sous la clarté mystérieuse de la lune, qui s'était déjà exprimé dans *le Soir*, se retrouve dans *les Étoiles* et *Apparition*. Et le regret d'un être tendrement chéri n'a sans doute jamais inspiré de chant plus profondément ému et plus grave que *le Crucifix* où le poète, par une illusion de sa douleur, se fait le témoin des derniers moments de celle qu'il a aimée :

Toi que j'ai recueilli sur sa bouche expirante,
Avec son dernier souffle et son dernier adieu,
Symbole deux fois saint, don d'une main mourante,
Image de mon Dieu!...

Un de ses bras pendait de la funèbre couche;
L'autre languissamment replié sur son cœur
Semblait chercher encore et presser sur sa bouche
L'image du Sauveur.

Ses lèvres s'entr'ouvraient pour l'embrasser encore.
Mais son âme avait fui dans ce divin baiser,
Comme un léger parfum que la flamme dévore
Avant de l'embraser.

Maintenant tout dormait sur sa bouche glacée,
Le souffle se taisait dans son sein endormi,
Et sur l'œil sans regard la paupière affaissée
Retombait à demi....

Admirable chant funèbre où le souvenir de l'amour s'efface devant le tableau d'une mort sereine, dont la tristesse est consolée par les espérances chrétiennes, et qui ouvre sur la vie future des perspectives infinies!

La même note élégiaque, que nous avons déjà entendue, revient donc avec une résonance plus profonde et plus soutenue. Mais si elle avait donné son caractère au précédent recueil, ce n'est plus elle qui domine dans celui-ci. Les tristesses sont déjà du passé, les brumes se sont dissipées sous une chaude haleine, et les souvenirs d'un amour éploré ont fait place aux jouissances d'un autre amour à peine moins ardent et cette fois heureux, confiant dans l'avenir. Le poète s'est conformé à la loi : il s'est encadré dans l'ordre de la société. Ainsi qu'une rose dans les guirlandes de Saron, il a choisi une vierge éclose parmi les lys du vallon. (*La Sagesse.*) Déjà il l'imagine telle qu'elle sera un jour, s'inclinant sur l'enfant qui repose, et, par avance, il se fait de ces joies familiales un tableau apaisant et doux. (*Consolation.*) Elle est devenue sa femme; il connaît près d'elle, sous ce ciel d'Italie dont il subit une fois de plus l'enchantement, un bonheur qui lui fait aimer et bénir la vie :

Celui qui, le cœur plein de délire et de flamme,
A cette heure d'amour, sous cet astre enchanté,
Sentirait tout à coup le rêve de son âme
S'animer sous les traits d'une chaste beauté,

Celui qui sur la mousse, au pied du sycomore,
Au murmure des eaux, sous un dais de saphir,
Assis à ses genoux, de l'une à l'autre aurore,
N'aurait pour lui parler que l'accent des soupirs,

Celui qui, respirant son haleine adorée,
Sentirait ses cheveux soulevés par les vents,
Caresser en passant sa paupière effleurée,
Ou rouler sur son front leurs anneaux ondoyants,

Celui qui suspendant les heures fugitives,
Fixant avec l'amour son âme en ce beau lieu,
Oublîrait que le temps coule encor sur ces rives,
Serait-il un mortel, ou serait-il un dieu?

Et nous, aux doux penchants de ces verts Elysées,
Sur ces bords où l'Amour eût caché son Eden,
Au murmure plaintif des vagues apaisées,
Aux rayons endormis de l'astre élyséen,

Sous ce ciel où la vie, où le bonheur abonde,
Sur ces rives que l'œil se plaît à parcourir,
Nous avons respiré cet air d'un autre monde,
Elise... et cependant on dit qu'il faut mourir!

(*Ischia.*)

Et tout enivré de volupté, pour célébrer la bien-aimée, il demande à la poésie biblique ses tons les plus chauds, les mêmes accents dont le psalmiste célébrait la Sulamite :

Tes yeux sont deux sources vives
Ou vient se peindre un ciel pur,
Quand les rameaux de leurs rives
Leur découvrent son azur....

Ton front que ton voile ombrage
Et découvre tour à tour
Est une nuit sans nuage
Prête à recevoir le jour....

Tes deux mains sont deux corbeilles
Qui laissent passer le jour;
Tes doigts de roses vermeilles
En couronnent le contour....

(*Chant d'amour.*)

Si de cette volupté on voit surgir une tristesse, elle n'a pas l'amertume qui monte aux lèvres de l'épicurien : c'est la crainte que le cœur ne soit trop faible pour y résister et la vie trop courte pour la contenir. (*Préludes.*) Quelle expression égalerait un tel amour? Il enferme en lui sa poésie auprès de laquelle languit la poésie des mots. Sur la lyre la corde du bonheur est muette. (*Adieux à la poésie.*) Et maintenant, après avoir lu ces beaux vers, qu'on veuille bien chercher dans toute la poésie lyrique : bien qu'elle ne soit presque tout entière qu'un long chant d'amour, on n'y trouvera rien de plus ardent que ce poème d'un amour qui n'est pas un péché, que cette poésie voluptueuse et chaste.

Comme l'amour triste avait évoqué pour s'y encadrer un décor mélancolique, brumes d'automne, ombres du soir, vapeur des nuages, grisaille du ciel et des eaux, l'amour radieux va s'entourer d'une atmosphère en harmonie avec lui. Il la trouve dans ce paysage italien qui maintenant s'empare de la poésie de Lamartine. C'est la tiédeur du climat, c'est la brise embaumée d'avoir passé sur les orangers, c'est le bleu du ciel et l'azur de la Méditerranée. Nature de paradis, où l'on respire une âme de langueur éperdue, cette âme amoureuse de l'Italie que Lamartine découvre avant Stendhal.

Et comme le vague et l'imprécision convenaient à la rêverie triste d'hier, le poète, rendu par le bonheur à la santé et à la volonté de vivre, donne à son art un dessin plus net et un contour plus ferme. Il fait entrer dans sa poésie des morceaux de vie réelle. Son enfance :

> Oui je reviens à toi, berceau de mon enfance,
> Embrasser pour jamais tes foyers protecteurs;
> Loin de moi les cités et leur vaine opulence!
> Je suis né parmi les pasteurs.
>
> Enfant, j'aimais comme eux à suivre dans la plaine
> Les agneaux pas à pas, égarés jusqu'au soir,
> A revenir comme eux baigner leur blanche laine
> Dans l'eau courante du lavoir.
>
> J'aimais à me suspendre aux lianes légères,
> A gravir dans les airs de rameaux en rameaux,
> Pour ravir, le premier, sous l'aile de leurs mères,
> Les tendres œufs des tourtereaux.
>
> J'aimais les voix du soir dans les airs répandues,
> Le bruit lointain des chars gémissant sous leur poids
> Et le lourd tintement des cloches suspendues
> Au cou des chevreaux dans les bois.
>
> (*Les Préludes.*)

Sa jeunesse, où s'évoque en traits précis l'image des lieux où ont vécu celles qu'il a aimées :

> Reconnais-tu ce beau rivage,
> Cette mer aux flots argentés,

Qui ne fait que bercer l'image
Des bords dans son sein répétés?
Un nom chéri vole sur l'onde....
Mais pas une voix qui réponde
Que le flot grondant sur l'écueil.
Malheureux, quel nom tu prononces!
Ne vois-tu pas parmi ces ronces
Ce nom gravé sur un cercueil?

Plus loin sur la rive où s'épanche
Un fleuve épris de ces coteaux,
Vois-tu ce palais qui se penche
Et jette une ombre au sein des eaux?
Là sous une forme étrangère
Un ange exilé de sa sphère
D'un céleste amour t'enflamma.
Pourquoi trembler? Quel bruit t'étonne?
Ce n'est qu'une ombre qui frissonne
Aux pas du mortel qu'elle aima.

(*Le Passé.*)

Jusqu'à sa carrière d'écrivain et à sa manière de composer :

L'homme n'enseigne pas ce qu'inspire le ciel;
Le ruisseau n'apprend pas à couler dans sa pente
L'aigle à fendre les airs d'une aile indépendante,
L'abeille à composer son miel!...
Je chantais, mes amis, comme l'homme respire
Comme l'oiseau gémit, comme le vent soupire,
Comme l'eau murmure en coulant.

(*Le Poète mourant.*)

Il y fait entrer l'histoire, avec la méditation sur *Bonaparte*, où l'âpreté du sentiment s'exprime en strophes si vigoureuses. Maître de son art, il peut maintenant, sans encourir le reproche d'imitation, reprendre les genres d'hier, car il les renouvelle. *Le*

Papillon, *la Branche d'amandier*, c'est la poésie de l'Empire, mais rajeunie et rafraîchie. Ajoutez *Élégie* et *Sapho* qui ne seraient pas indignes de Chénier, et ce fragment d'épopée *l'Ange*, et ce fragment dramatique *Apparition de l'Ombre de Samuel*. On voit de quelle variété sont faites les *Nouvelles Méditations*, quels éléments nombreux et divers elles réunissent; et il faut noter encore que ces pièces d'origine, de date, et d'inspiration si différentes sont encadrées savamment entre *l'Esprit de Dieu*, qui ouvre le recueil, et *Adieux à la poésie*, qui le ferme. Les premières *Méditations* sont les plus touchantes : c'est à elles que continuera d'aller l'admiration émue et charmée du lecteur. Mais supérieures par la hardiesse, l'ampleur, la variété, la sûreté de soi-même, la virtuosité, les secondes *Méditations* sont très certainement le chef-d'œuvre lyrique de Lamartine.

La Mort de Socrate et *le Dernier chant du pèlerinage d'Harold*, l'un suivant, l'autre précédant les secondes *Méditations*, sont quelque chose comme le paiement d'une dette, un juste tribut de reconnaissance et d'admiration. Lamartine, du temps qu'il s'était remis au grec, après ses années de Belley, avait beaucoup lu Platon. Il le goûtait pour son idéalisme, pour la poésie de sa métaphysique, pour ce qu'il y a dans sa doctrine de chrétien avant le christianisme. Avec des traits empruntés aux plus beaux dialogues de Platon, le *Phédon*, le *Criton*, il compose un tableau des derniers moments de Socrate. Il met dans la bouche du philosophe, au seuil de l'autre vie, le développement des idées essentielles qui l'avaient séduit dans la philosophie platonicienne : la lutte de l'âme contre les sens, l'âme affranchie par la mort, l'unité de Dieu. Socrate, aux derniers instants, dans un délire prophétique, annonce la venue du Christ. Libre interprétation plutôt que traduction. Socrate apparaît ici plus semblable à un demi-dieu qu'au personnage étrange et parfois inquiétant de l'histoire : il doit à Lamartine tout ce qu'il ne doit pas à Platon; il a été deux fois transfiguré par le philosophe antique et par le poète moderne. Le génie lamartinien s'épanche avec une aisance abondante en cette suite de vers harmonieux et coulants où se place l'admirable symbole de Psyché, attestant le goût qu'a eu toujours le poète pour la philosophie, et préludant à sa tentative de faire un jour parler à la métaphysique le langage des vers.

Le Dernier chant du pèlerinage d'Harold est de même, chez Lamartine, un écho et une continuation de ses lectures. Il avait été, de tout temps, grand admirateur de lord Byron; c'est un des côtés par où il tient au romantisme. La fin héroïque du poète allant chercher, sous les murs de Missolonghi, une mort sensationnelle, l'avait frappé. C'est cette fin qui sera le sujet du poème. Lamartine y trouve l'occasion de mettre en scène Byron, tel qu'il lui apparaît et avec les traits qui l'ont séduit : âme tourmentée, cœur insatiable et déçu. En outre, c'est pour lui un moyen de jeter sa note dans le concert poétique qui alors, dans toute l'Europe lettrée, célèbre les Grecs, révoltés pour leur indépendance. Il salue la Grèce, mère de toute civilisation, Homère, Platon au cap Sunium, il dit l'héroïsme des femmes Souliotes. De beaux épisodes et surtout de belles tirades tranchent sur un ensemble assez conventionnel et froid.

III

LES *HARMONIES*

Lamartine avait tiré de l'état de sa sensibilité la matière de ses deux premiers recueils lyriques. Il est entré dans une phase nouvelle de sa vie, où les passions de l'amour ne sont plus qu'à l'arrière-plan, à l'état de souvenirs. Il possède tous les éléments du bonheur : les joies du foyer, les occupations d'une carrière qui lui agrée, les satisfactions de la gloire et presque de la fortune. Dans cet équilibre des facultés de son être, dans cet apaisement et cette sérénité de son âme, il retrouve une source de poésie qui était au fond de lui, la plus intime, la plus ancienne, celle qu'il devait à sa première éducation. Sa mère lui avait enseigné le christianisme, et un christianisme tout prêt pour la traduction poétique, étant lui-même une poésie. Ce christianisme était fait moins de logique et de raisonnement que d'emotion et d amour; il alliait au sentiment de la nature le sentiment divin; il invitait à la rêverie, à la méditation devant l'infini. Dans les précédents recueils, il apparaissait déjà, mais seulement à intervalles ;

il demeurait à la cantonade, tandis que le devant de la scène était occupé par le jeu changeant des passions et par les images mouvantes de la vie et du monde; il va maintenant surgir au premier plan et reculer dans le lointain les émotions profanes.

A travers Bernardin de Saint-Pierre et Fénelon, le cri du Psalmiste : *Cœli enarrant gloriam Dei* est le thème essentiel des *Harmonies*. De là un inépuisable jaillissement de poésie descriptive. La nature nous révèle Dieu de deux façons : par sa beauté actuellement réalisée et par la loi de développement des êtres. Ce sont là, si l'on peut dire, deux catégories de « preuves » sentimentales et esthétiques.

A la première appartiennent *l'Hymne de la nuit*, *l'Hymne du matin*, *l'Abbaye de Vallombreuse*, mais surtout ces deux rêveries admirables par la largeur de la composition, par l'immensité des perspectives : l'*Infini dans les Cieux*, et le *Paysage dans le Golfe de Gênes*. Dans la sérénité d'une nuit d'été, le poète contemple les astres; il songe que chacun de ces astres est un monde et que la puissance divine a semé l'azur de ces milliers de mondes que nul œil ne peut apercevoir, que nulle intelligence ne peut même concevoir. (*L'Infini dans les Cieux*.) A la clarté pensive de la lune, « ce flambeau du monde moral », il porte tour à tour ses regards sur les diverses parties du paysage. Ce sont les nuages que pousse le vent; ils imitent tantôt des océans bordés de rochers, tantôt des montagnes ou des murs de cités :

Mais sous l'Aquilon qui les roule
En mille plis capricieux,
Tours, palais, temple, tout s'écroule
Tout fond dans le vide des cieux.
Ce n'est plus qu'un troupeau candide
Qu'un pasteur invisible guide
Dans les plaines de l'horizon;
Sous ses pas, l'azur se dévoile,
Et le vent d'étoile en étoile
Disperse leur blanche toison.

C'est le torrent qui roule au flanc des montagnes, le golfe où se réfléchit tout le paysage d'alentour. Et cette paix n'est troublée que par le bruit qui vient de la ville voisine, et qui atteste l'agitation de l'homme — si vaine! Bientôt

Ces pas, ces voix, ces cris, cette rumeur immense
Seront déjà rentrés dans l'éternel silence,
Les générations rouleront d'autres flots,
Et ce bruit insensé que l'homme croit sublime,
Se sera pour jamais étouffé dans l'abîme,
L'abîme qui n'a plus d'échos!

Mais, tandis que tout ce qui est humain doit rentrer dans le néant,

Il est une langue inconnue
Que parlent les vents dans les airs,
La foudre et l'éclair dans la nue,
La vague aux bords grondants des mers....

Et dans tous ces accents sauvages,
Cette langue parle de toi!

De toi, Seigneur, être de l'être,
Vérité, vie, espoir, amour,
De toi que la nuit veut connaître,
De toi que demande le jour....
Et qui n'as qu'un nom : l'Infini.

(*Paysage dans le golfe de Gênes.*)

La seconde catégorie est représentée surtout par l'ensemble des pièces comprises sous le titre général de *Jéhovah*. Le gland germe, grandit, pour devenir le chêne puissant et superbe où s'abritent toutes sortes d'êtres : le miracle de sa croissance atteste l'intelligence de Dieu et la volonté consciente de la fin où elle tend. (*Le Chêne.*) Voici la jeune fille, pâle, délicate, aérienne. Elle deviendra femme et un fils naîtra d'elle, débile lui aussi au regard des forces de la nature; mais cette débilité, l'homme en a conscience,

> L'instinct de sa faiblesse est sa toute-puissance,

et son génie, en se développant à travers les temps fera de lui, peu à peu, le maître de la nature. (*L'Humanité.*) Heureux celui qui dans la nature retrouve Dieu partout; il n'est, sans cette idée directrice, que souffrances dans les ténèbres. (*L'Idée de Dieu.*)

Jamais la description chez Lamartine n'avait été aussi riche, abondante et variée; mais, hâtons-nous de le dire, le poète ici ne décrit pas pour décrire. La description n'est pour lui qu'un moyen. Elle sert à rendre sensible l'idée de Celui qui se manifeste à nous à travers tous les êtres et dont la nature entière n'est que l'image. Ce grand travail n'est qu'un effort pour nommer l'innommable. De toutes les parties de la création qu'il contemple, le croyant tente de s'élever à Dieu. Il aspire à lui, il envie tout ce qui parvient jusqu'à lui :

> Je voudrais être la poussière
> Que le vent dérobe au sillon,

La feuille que l'automne enlève en tourbillon,
L'atome flottant de lumière,
Qui remonte le soir au bord de l'horizon;
Le premier reflet de l'aurore,
Le son lointain qui s'évapore,
L'éclair, le regard, le rayon,
L'étoile qui se perd dans ce ciel diaphane
Ou l'aigle qui va le braver,
Tout ce qui monte enfin, ou vole, ou flotte, ou plane,
Pour me perdre Seigneur, me perdre, ou te trouver!

Cette continuelle ascension de l'âme est ce qui donne à ce genre de description son mouvement et qui imprime aux *Harmonies* le caractère lyrique.

On a contesté la sincérité, ou, tout au moins, la solidité du christianisme des *Harmonies*; on a prétendu n'y trouver qu'une religiosité, une émotion en face de la nature adorée pour elle-même et divinisée! Il est vrai que l'expression prête quelquefois à l'équivoque, comme dans ces vers qui terminent l'*Occident* :

Ô lumière, où vas-tu? Globe épuisé de flammes,
Nuages, aquilons, vagues, où courez-vous?
Poussière, écume, nuit, vous mes yeux, toi mon âme,
Dites, si vous savez, où donc allons-nous tous?

A toi, grand Tout, dont l'astre est la pâle étincelle,
En qui la nuit, le jour, l'esprit vont aboutir,
Flux et reflux divin de vie universelle,
Vaste océan de l'être où tout va s'engloutir.

Mais ce ne sont là que de passagères défaillances. Le poète n'en est pas encore à ce point de développement philosophique où il est vrai que nous surprendrons plus tard sa pensée. *L'Hymne au Christ*, une des pièces les plus importantes du recueil, en précise bien le caractère. On dit que les temps du

Christ sont finis ; n'en croyons rien ; c'est de Jésus que sont venues toute vérité et toute vertu ; aucun autre enseignement n'a remplacé le sien ; aucun autre ne saurait en tenir lieu :

> Règne à jamais, ô Christ, sur la raison humaine,
> Et de l'homme à son Dieu sois la divine chaîne !
> Illumine sans fin de tes feux éclatants
> Les siècles endormis dans le berceau des temps,
> Et que ton nom légué pour unique héritage,
> De la mère à l'enfant descende d'âge en âge....
> Pour moi, soit que ton nom ressuscite ou succombe,
> O Dieu de mon berceau, sois le Dieu de ma tombe !

Cette déclaration donne aux *Harmonies* leur véritable sens. Cette poésie est religieuse, au sens chrétien du mot, et comme l'entendait l'auteur du *Génie du Christianisme*. Disons plus : c'est la seule expression qu'il y ait au XIXe siècle de la poésie chrétienne.

Très différentes des *Méditations*, les *Harmonies* leur sont à peine inférieures. Il faut avouer pourtant qu'elles nous touchent moins. Est-ce que nous sommes peu disposés à goûter la poésie chrétienne ? Non. Mais ce christianisme de Lamartine, si vraiment que le poète en ait senti la douceur, n'est pas celui qui aujourd'hui trouve le chemin de nos cœurs. C'est la sérénité qu'il exprime : notre âme tourmentée ne sait que chercher Dieu avec souffrance et non jouir de l'avoir trouvé. Il est tout imprégné d'optimisme ; et c'est le spectacle du mal physique, comme celui de la souffrance morale, qui a le plus de chances aujourd'hui de nous mener à Dieu. L'argument de la beauté de l'Univers, s'il offre au peintre d'infinies ressources, ne contente guère le penseur. Pour tout dire, ce qui manque ici, c'est un peu de ce tourment intérieur dont il nous semble que la pensée de l'Infini ne saurait manquer de s'accompagner. Ajoutez que la forme n'est pas toujours assez serrée; le développement n'est plus contenu dans de justes limites; l'abondance se fait débordement; la proportion est rompue entre l'idée et l'expression. Il y a trop de mots pour peu de matière. A force de se subtiliser, la poésie de Lamartine s'évanouit, se dissipe et se dissout dans les airs. Elle aura besoin de retrouver le support qui lui manque, de reprendre ce minimum de substance dont elle a fait la vaine gageure de se passer.

La révolution de juillet qui remua si profondément l'âme de Lamartine en fit jaillir une inspiration nouvelle : la poésie politique. Le poète, jusque-là replié sur lui-même, prenait ses sujets dans les incidents de sa vie personnelle ou dans ses méditations sur les problèmes de la destinée. Ici il les reçoit des événements de la vie publique. Écrivant sous la dictée de l'actualité, il s'adresse non plus à un lecteur idéal et placé en dehors des temps, mais aux hommes d'aujourd'hui sur qui il veut exercer une action. La poésie, telle qu'il la comprend alors, descend sur la terre, se mêle à la foule et aux disputes de l'heure présente. Comme d'ailleurs le privilège de convaincre les hommes appartient en propre à l'éloquence, cette poésie sera oratoire plus que lyrique.

Ainsi la pièce sur les *Révolutions*, que Lamartine ajoute aux *Harmonies* et qui en diffère si profondément, est l'expression poétique d'une idée qui hante son esprit au lendemain des journées de juillet. L'immobilité chère aux nations d'Occident est en contradiction avec la loi de la nature qui est le changement, avec la loi de l'histoire qui est la destruction pour la renaissance. Nous ne voulons pas voir qu'un même principe continue d'agir à l'intérieur des sociétés modernes, et que c'est le principe chrétien. Les siècles, page à page, épellent l'évangile Les Révolutions sont cela même : le travail de Dieu dans l'humanité.

Les révolutions ont été trop souvent souillées par l'esprit de vengeance et de haine. Qu'il n'en soit plus ainsi! Le peuple a été grand en revendiquant sa liberté : qu'il n'ensanglante pas sa victoire en réclamant la mort des ministres! Qu'il soit clément! Qu'il ouvre ainsi une ère nouvelle! C'est *l'Ode au peuple du 19 octobre contre la peine de mort*.

Aussi bien, dans ces temps troublés, chaque citoyen a le devoir de combattre à son rang. Il ne saurait sans trahison rester indifférent aux questions qui passionnent le pays et mettent peut-être son existence en péril. C'est la magnifique profession de foi de la *Réponse à Némésis* :

> Honte à qui peut chanter pendant que Rome brûle,
> S'il n'a l'âme et la lyre et les yeux de Néron,

Pendant que l'incendie en fleuve ardent circule
Des temples aux palais, du Cirque au Panthéon!
Honte à qui peut chanter pendant que chaque femme
Sur le front de ses fils voit la mort ondoyer,
Que chaque citoyen regarde si la flamme
Dévore déjà son foyer!

Honte à qui peut chanter pendant que les sicaires
En secouant leur torche aiguisent leurs poignards,
Jettent les dieux proscrits des rires populaires
Ou traînent aux égouts les bustes des Césars!
C'est l'heure de combattre avec l'arme qui reste,
C'est l'heure de monter au rostre ensanglanté,
Et de défendre au moins de la voix et du geste
Rome, les dieux, la liberté!

Ces sentiments sont ceux-là mêmes qui vont mener Lamartine à la vie politique et dont il portera l'expression à la tribune. Sa poésie politique est ainsi la préface de ses discours et l'achemine vers l'éloquence. Elle nous montre l'orateur perçant déjà dans le poète.

Lamartine savait de reste qu'elle exigeait des procédés de style très particuliers. Il a très nettement donné sa théorie du genre : « Toute poésie politique doit être poésie populaire et pour être poésie populaire elle doit se servir du mot propre et de grosses et fortes images saisies par toutes les rudes imaginations auxquelles elle s'adresse. Articulez fortement, voilà mon conseil en vers de ce genre. Une série d'Odes politiques suivant ou commentant nos mouvements peut être une belle chose (à A. de Latour. 19 nov. 1830). » Mais il n'a eu garde d'abaisser la poésie à la rhétorique ou à la brutalité voulue qu'affectera l'auteur des *Iambes*. On sait de même avec quelle violence l'invective et la calomnie se déchaîneront, un jour, dans *les Châtiments*. Lamartine tient pour indigne de la lyre

> La corde injurieuse où la haine a vibré !

Il ignore la rancune, la jalousie, les ressentiments de l'amour-propre blessé et de l'ambition déçue ; il dédaigne de relever l'outrage :

> Mais moi j'aurai vidé la coupe d'amertume
> Sans que ma lèvre même en garde un souvenir ;
> Car mon âme est un feu qui brûle et qui parfume
> Ce qu'on jette pour la ternir !

Comme d'autres ont lancé l'anathème, Lamartine a lancé l'appel au dévouement, à la concorde, à la clémence. Il avait tout de suite, de son vigoureux coup d'aile, porté la poésie politique à des hauteurs où tout autre serait incapable de la maintenir !

IV

JOCELYN

La poésie politique est encore de la poésie lyrique : ce qu'il fallait au poète, pour qu'il se renouvelât complètement, c'était qu'il abordât la poésie impersonnelle et narrative, idylle, roman ou épopée. Lui-même, avec cette clairvoyance et ce sens critique qu'ont le plus souvent les grands créateurs, s'en rendait compte. Juge peu indulgent des *Harmonies*, il n'en appréciait guère qu'une quinzaine sur cinquante. « Hélas, écrivait-il, en corrigeant les épreuves, cela fait peine à voir. N'en parlons pas! Je me vengerai par un poème auquel enfin je vais me donner tout entier.... Un poème... un poème... mon royaume pour un poème! » Ce poème, ce devait être *Jocelyn*.

A vrai dire, il y avait déjà longtemps qu'il portait en lui l'idée d'une vaste composition. Il en avait eu la soudaine révélation à Naples en 1826 : « En sortant de Naples, écrit-il, le samedi 20 janvier, un rayon descendu d'en haut m'a illuminé. J'ai conçu, je me sens un grand poète. » Et, quelques jours plus tard, il écrit encore : « Je viens, il y a huit jours, d'être enfin inspiré tout de bon. J'ai conçu l'œuvre de ma vie, si j'ai une vie : poème immense comme la nature, intéressant comme le cœur humain, élevé comme le ciel. » Vraiment immense, en effet, ce poème devait embrasser l'histoire tout entière de l'âme humaine, depuis les origines du monde, et retracer les étapes de sa marche ascensionnelle vers l'idéal de la perfection. Le sort de ces compositions démesurées est de n'être jamais achevées ; le poète n'en exécute que des parties et peut-être ne faut-il pas le regretter ; ces nobles fragments sont comme les ruines, parfois plus imposantes que l'édifice. *Jocelyn* est un épisode de ce grand poème : l'expression de l'idéal chrétien à notre époque.

Le curé de campagne était, depuis Chateaubriand, un type tout prêt pour la littérature. Or Lamartine avait à côté de lui et retrouvait mêlée à ses souvenirs d'enfance et de jeunesse, la figure romanesque d'un prêtre, l'abbé Dumont, curé de Bussières, qui avait eu, à l'époque de la Révolution, une aventure. Dans ses *Confidences*, Lamartine en a fait un brillant portrait. Pendant la Terreur, à une époque où il n'avait pas reçu les ordres et où il était beaucoup plus chasseur et conspirateur royaliste qu'ecclésiastique, l'abbé Dumont sauvait des mains des Jacobins la fille d'un gentilhomme des environs, se réfugiait avec elle au fond de la forêt où une hutte de charbonnier leur servait d'asile, et après des mois de chaste intimité, ramenait la jeune fille à son père et revenait lui-même prendre sa place chez son oncle le curé, auquel par la suite il succédait...

Lamartine, jeune homme, avait beaucoup fréquenté l'abbé Dumont; dans les mois de solitude qu'il passait à Milly, son voisin, le curé de Bussières était parfois le seul être humain avec qui il eût des rapports. Il causait volontiers avec lui de questions philosophiques et religieuses sur lesquelles l'abbé professait des idées extrêmement larges. Plus tard, il ne revint jamais dans le pays sans aller demander au presbytère de Bussières une assiette de soupe aux raves, et il ne manqua pas non plus d'aider le brave homme qui, perdu dans ses rêves, ne mettait aucune espèce d'ordre dans ses finances et fut maintes fois à la veille d'être chassé de sa cure, faute d'avoir acquitté quelque grosse dette... d'une centaine de francs.

Aussi ne peut-on douter que le portrait du curé de Bussières, tel que Lamartine l'a tracé à plusieurs reprises, ne soit fort arrangé. Pour ce qui est de son « roman » il se réduit à une aventure des plus banales. Le jeune Dumont n'était pas dans les ordres quand éclata la Révolution. Il séduisit la jeune fille dont les circonstances l'avaient rapproché. Pourquoi ne l'épousa-t-il pas, par la suite, on l'ignore. Quant au prêtre qu'il fut dans sa cure de Bussières, j'en croirais volontiers une note manuscrite de l'un des beaux-frères de Lamartine, M. de Montherot, qui remet les choses au point, et que voici : « Dans les *Confidences*, Lamartine a trop parlé de l'abbé Dumont qui, je crois, n'était pas aussi libre penseur, c'est-à-dire mauvais prêtre qu'il le dit. Je l'ai beaucoup connu. Ce n'était pas un esprit supérieur, ni un homme de science ou d'étude. A sa mort, il constitua Lamartine son héritier, c'est-à-dire qu'il ne lui laissa que des dettes à payer.... Lamartine les paya. » Que Lamartine ait donc romancé l'épisode et embelli les figures, il ne pouvait en être autrement. Ce qui nous importe, c'est d'abord de constater que Lamartine a connu le futur héros de son poème; or c'est une loi de son imagination qu'il ennoblit, magnifie, idéalise toujours, mais qu'il n'invente pas de toutes pièces : il a besoin que la réalité lui fournisse un premier thème, un minimum de sujet. Ajoutez que Lamartine a admiré de ses yeux d'enfant le beau vicaire, que son esprit de jeune homme a travaillé sur cette mystérieuse aventure qui, recueillie et déformée par la renommée, était déjà entrée dans la légende, et enfin que, pour parler de la vie d'un curé de campagne, il n'a pas été obligé de l'imaginer ou de se documenter sur elle tout exprès, mais qu'il y avait été mêlé, et qu'il en avait vu se dérouler sous ses yeux les tableaux d'une si touchante humilité. La matière poétique était toute prête, ayant subi le lent travail de l'élaboration inconsciente.

C'est en 1831 que *Jocelyn* fut commencé; Lamartine en parle au mois de décembre : « J'écris aussi quelques strophes des mémoires du curé de X.... C'est mon chef-d'œuvre.... » Pendant les cinq années que dura la composition du poème, c'est toujours avec la même satisfaction qu'il en donne des nouvelles : *Jocelyn* fut écrit avec plaisir, avec ravissement. En 1834, il fait allusion à « un joli petit poème du journal d'un vicaire qui n'est pas encore fini ». Un peu plus tard, il écrit à Virieu : « Je ne doute guère que cela ne t'aille aux dernières fibres du cœur, car c'est toi et moi peints à seize ans, dans le style que tu aimes, sans bruit, sans éclat, sans draperies, style de poésie dramatique et évangélique ». Enfin, en juillet 1836, quelques jours avant la publication : « *Jocelyn*, épisode de poésie intime, va paraître. Lis-le au soleil ou à l'ombre, mais au repos et en plein air, un jour de jeunesse. C'est de la poésie de vingt ans. J'en suis confidentiellement ravi.... Je prophétise que cela sera trouvé bête pendant six ans et dans les poches des cordonniers ensuite.... » Lamartine comptait donc, pour son livre, sur un succès populaire; il ne s'était pas trompé : il nous apprend qu'en vingt-sept jours, il partit vingt-quatre mille exemplaires. Cette fois la renommée du poète avait dépassé le cercle des lettrés et des délicats, où elle s'était toujours tenue jusque-là. Margot avait pleuré. Mais en même temps, Lamartine, pour la première fois, se heurtait à une résistance de la critique, à une mauvaise humeur même et à une opposition de quelques-uns, toute nouvelle pour lui. Les objections qu'on lui faisait étaient de deux sortes. On lui reprochait d'abord l'exécution hâtive de son poème. Et il est bien exact que, durant ces années si remplies par le voyage en Orient et par les débuts dans la vie politique, il a été sans cesse détourné de son œuvre, et dans l'impossibilité de faire aucun travail suivi. L'autre objection porte sur les doctrines de Jocelyn, sur son christianisme. Ce christianisme a été tenu pour fort suspect, et, aux deux bouts du monde chrétien, jugé avec sévérité. D'un côté, Vinet se refuse à voir dans *Jocelyn* autre chose qu'une diatribe contre le célibat des prêtres, et d'autre part, l'abbé Gerbet y découvre, au nom de la Foi, des « choses sinistres ». Voilà des docteurs bien sévères. Non certes que le christianisme de Lamartine ne me paraisse, ici déjà, et déjà beaucoup plus que dans *les Harmonies*, incertain et flottant; mais il en est forcément ainsi depuis que le christianisme est devenu thème littéraire. Les hommes du XVIIe siècle l'avaient bien prévu, et c'est pourquoi Boileau interdisait au poète épique l'emploi du « merveilleux chrétien ». Chateaubriand a changé tout cela. Ne nous étonnons pas beaucoup d'avoir à louer chez un poète sa poésie plutôt que sa théologie.

Dans *Jocelyn* il y a beaucoup de Lamartine : c'est un des attraits de ce poème, qu'il soit tout imprégné de la sensibilité de l'auteur, tout brillant de ses idées et tout peuplé de ses souvenirs. Les pieux élans et les extases de Jocelyn au séminaire, Lamartine les avait connus à Belley, dans cette petite chapelle où il aimait à prier, le soir, ému par la tendresse de l'ombre mystique. Ce trouble du cœur à l'approche de l'amour, il l'avait éprouvé :

Qu'est-ce donc que l'amour, si son rêve est si doux?

Ce rêve avait été le sien, à seize ans. Jocelyn, c'est lui avec le souvenir de ses lectures : les poèmes d'Ossian, *Paul et Virginie*. C'est lui avec son goût pour la nature, son culte pour la maison de famille, sa tendresse filiale. Douterait-on que le poète ait fait son œuvre avec l'étoffe même de sa vie, il suffirait de se reporter à la septième époque du poème, remplie par la dernière maladie et la mort d'une mère et surtout, dans la neuvième époque, aux funérailles de Laurence. C'est au mois de novembre, la nuit; des montagnards viennent chercher le cercueil et le portent sur leurs épaules, à travers les sentiers abrupts et glissants, jusqu'au cimetière :

Quatre hommes des chalets, sur des branches de saules,
Étaient venus chercher le corps sur leurs épaules;
Nous partîmes la nuit, eux, un vieux guide et moi,
Je marchais le dernier, un peu loin du convoi,
De peur que le sanglot que j'étouffais à peine,
Ne trahît dans le prêtre une douleur humaine,
Et que sur mon visage en pleurs on ne pût voir
Lutter la foi divine avec le désespoir.
C'était une des nuits sauvages de novembre....
Les vents lourds de l'hiver qui soufflaient par rafales,
Echappés du ravin, hurlaient par intervalles,
Secouaient le cercueil dans les bras des porteurs,
Et, détachant du drap la couronne de fleurs
Qu'avaient mise au linceul les femmes du village,
M'en jetaient en sifflant les feuilles au visage....

Or par la correspondance de Lamartine et par les dernières pages jointes au *Manuscrit de ma mère*, nous savons quelles obsèques Lamartine fit à sa mère. Ce fut en plein hiver, la nuit, qu'il accompagna de Mâcon à Saint-Point, par les routes couvertes de neige, le cercueil porté par les paysans.

Un autre mérite de *Jocelyn*, c'est que nous y voyons s'épanouir cette poésie vers laquelle s'acheminait toute son œuvre précédente : la poésie de l'idylle. Lamartine a eu le génie de l'idylle. Il a vécu en imagination ce rêve d'innocence, de paix, de bonheur sans mélange, dû à une double bonté, celle du cœur humain et celle de la nature inanimée. Comme Bernardin de Saint-Pierre, qui avait isolé Paul et Virginie dans les paysages neufs et parmi les habitants primitifs de l'Ile-de-France, il créera pour Jocelyn et pour Laurence la solitude de la grotte des Aigles. Il prendra pour personnages deux enfants, et il faudra la chasteté de son pinceau pour dessiner cette figure de Laurence, charmante sans être inquiétante. Avec un juste sentiment des contrastes, il donnera comme fond à son idylle la sombre horreur de la Révolution : autour de la félicité candide de la Grotte des Aigles, on devine toute proche la société méchante et meurtrière. Enfin pour rendre plus délicieux le rêve de bonheur, une double angoisse en avive la volupté : celle de l'abandon, puis de la mort.

Si *Jocelyn* dans sa première partie est une idylle, la seconde partie, à laquelle il faut joindre le prologue et l'épilogue, appartient à la poésie domestique et familière. Sainte-Beuve n'avait guère voulu voir autre chose dans tout le poème. L'article qu'il écrivit, au lendemain de l'apparition de *Jocelyn*, était pour féliciter le poète d'avoir fait entrer dans la littérature française le curé de campagne, alors que depuis longtemps il figurait dans la littérature allemande avec la *Louise* de Voss et dans la littérature anglaise avec *le Vicaire de Wakefield* de Goldsmith. Et, insistant sur ce sujet qui lui était cher, il essayait de définir d'après Wodsworth un genre de poésie qu'il croyait à sa mesure.

Mais on fait tort à Jocelyn quand on n'y voit qu'une idylle un peu puérile et une histoire larmoyante de curé de campagne. Il y a plus et mieux dans cet épisode du grand poème dont rêvait Lamartine. C'est un fragment d'épopée intime. Le drame, tout intérieur, qui s'y joue, est le plus poignant et le plus noble qu'on puisse imaginer, puisque nous y voyons l'âme s'élever de l'amour humain à l'amour divin. Notez que Lamartine n'a jamais cru que l'amour eût sa fin en lui-même et se limitât au bonheur qu'il apporte. Au contraire, il en a vu le signe distinctif dans cette aspiration à l'infini qui lui est essentielle. C'est la conception platonicienne, d'après laquelle l'amour met l'âme en liberté et lui rend possible l'ascension vers les hauteurs qu'illumine de sa splendeur le Beau inséparable du Bien. Le degré de cette échelle mystique, c'est le sacrifice. C'est parce qu'il s'est sacrifié que Jocelyn peut répandre son amour sur tous les êtres, et non seulement sur les hommes, mais sur la nature tout entière, sur l'animal, sur le chien, sur tout ce qui vit et sur tout ce qui sent :

> O mon chien! Dieu seul sait la distance entre nous;
> Seul il sait quel degré de l'échelle de l'être
> Sépare ton instinct de l'âme de ton maître;
> Mais seul il sait aussi par quel secret rapport
> Tu vis de son regard et tu meurs de sa mort,
> Et par quelle pitié pour nos cœurs il te donne
> Pour aimer encor ceux que n'aime plus personne.
> Aussi, pauvre animal, quoique à terre couché,
> Jamais d'un sot dédain mon pied ne t'a touché,
> Jamais d'un mot brutal contristant ta tendresse,
> Mon cœur n'a repoussé ta touchante caresse.
> Mais toujours, ah! toujours en toi j'ai respecté
> De ton maître et du mien l'ineffable bonté,
> Comme on doit respecter la moindre créature,
> Frère à quelque degré qu'ait voulu la nature.

A côté de cette loi d'amour, le poète en aperçoit une autre, celle du travail qui lui a inspiré le magnifique épisode des *Laboureurs*, dans le neuvième chant. Nulle part, dans aucune littérature, on ne trouvera une image du travail des champs tracée avec plus de vigueur et plus d'heureux réalisme, faite de détails plus simples, plus vrais, et où les gestes du paysan, si augustes dans leur simplicité millénaire, soient reproduits avec plus de fidélité.

Remarquez d'ailleurs, et une fois de plus, que cette peinture n'est pas à proprement parler une description. L'auteur a eu soin d'en dégager à mesure la signification morale; chacun des traits en a été choisi pour illustrer cette loi du travail, sainte loi du monde. Cette description est une prière. Et admirez comme on peut s'abuser soi-même! Une note de l'éditeur, c'est-à-dire de Lamartine lui-même, nous dit que cet épisode est inspiré de « l'inimitable tableau des *Moissonneurs* par l'infortuné Robert ». Ce Robert, c'est Léopold Robert. Nous songeons, nous, au portail de nos cathédrales où l'artiste du Moyen Age, qui sait voir la nature et qui sait prier, a sculpté de son ciseau précis, pour en faire hommage à Dieu, l'image des travaux de la campagne. Si l'art de Lamartine est ici comparable à un autre, c'est à celui de cet artiste d'autrefois, naïf et religieux.

Aussi n'est-ce pas trop de dire que Lamartine dans *Jocelyn* a fait œuvre de poète épique. L'épopée vit de l'expression des sentiments simples et de la peinture des réalités quotidiennes. Le bon Homère peint ce qu'il voit et ne croit pas qu'il y ait rien dans la nature qui ne puisse entrer dans la poésie. Comme il nous parle d'Achille et d'Ulysse, il nous entretient du porcher Eumée. Seulement pour lui le porcher est divin, comme le héros. Car le poète épique est optimiste : à ses yeux, encore émerveillés, les êtres et les choses apparaissent avec leur visage de beauté. *Jocelyn* est un poème épique, le seul qu'il y ait dans notre langue.

V

LA CHUTE D'UN ANGE

Après avoir, dans *Jocelyn*, réalisé le type de la grande idylle épique, il restait à Lamartine un effort plus considérable à tenter, une œuvre plus audacieuse, et que peut-être il ne pouvait pas ne pas entreprendre. Car il y a pour l'écrivain, s'il n'est pas un simple joueur de flûte, tout un ordre de problèmes qu'il lui est difficile de ne pas aborder, au moins une fois dans sa vie : ceux-là mêmes d'où dépend l'explication, quelle qu'elle soit, du monde et de la vie. Le poète commence par se prêter à ce jeu des illusions préparées dès l'origine des temps par un artiste divin pour séduire le cœur de l'homme; il s'absorbe dans la nature et dans l'amour; mais un moment vient où, lassé de se jouer à la surface et déçu par les apparences, il veut soulever le voile pour apercevoir dans son horreur sacrée l'éternelle Isis.

La poésie philosophique a tenté presque tous les poètes du XIXe siècle. Est-il besoin de dire qu'ils y ont presque tous et toujours échoué? Telle est la difficulté du genre dans une époque de pensée analytique! Il s'agit de rétablir entre la philosophie et la poésie cette union qui a existé jadis, mais que tout le travail de la pensée moderne a contribué à défaire. A l'origine, la philosophie était religion et la religion s'exprimait par symboles; l'idée et la sensation, l'émotion et l'image étaient contenues à la fois dans le mot. L'analyse les a séparées. L'idée, désormais abstraite, est devenue la propriété du philosophe; le mot, qui peint, est devenu l'instrument du poète. Est-il possible de les fondre de nouveau?

Lamartine l'a toujours cru. Dans *la Mort de Socrate*, en 1823, il disait : « La métaphysique et la poésie sont deux sœurs ». Dans *les Destinées de la poésie* il assignait pour destinée à la poésie d'être « la raison chantée ». Et plus tard, dans le *Cours de littérature*, en 1856, il affirmera : « Toute poésie qui ne résume pas une philosophie n'est qu'un hochet ». Parmi ses premières poésies, on en trouve de philosophiques ou tout au moins de morales. Qu'on se rappelle, dans les *Premières Méditations*, la belle pièce à Lord Byron, *l'Homme* :

> Borné dans sa nature, infini dans ses vœux,
> L'homme est un dieu tombé qui se souvient des cieux.

La Mort de Socrate est un poème suivi qui encadre un résumé de la philosophie platonicienne.

Remarquons d'autre part que Lamartine a été, de tout temps, curieux de philosophie. Les problèmes les plus ardus ont souvent fait le sujet de ses causeries avec ses amis; plusieurs de ses lettres à Virieu sont de véritables professions de foi continuant les entretiens des deux jeunes gens ou plus tard des deux hommes ; certaines traitent de « l'infini », d'autres « des principes de la révolution ». A défaut d'une philosophie, il y a chez lui un mouvement de pensée philosophique.

Le point de départ en est la pure orthodoxie chrétienne et même catholique, celle des *Méditations*. Mais de bonne heure, aux souvenirs de son éducation pieuse se sont mêlés des éléments bien différents. D'abord une partie de l'héritage des philosophes du XVIIIe siècle. Lamartine a beau se poser en adversaire de Voltaire, comme il ne cesse pas d'être admirateur de ses livres lus et relus, une partie de la pensée du philosophe devient sienne. Ajoutons que l'éducation qu'il a reçue est celle de *l'Émile* et qu'il se rattachait encore au XVIIIe siècle par son admiration pour Mme de Staël. Par Virieu, qui était à Munich, il entendit parler de la philosophie allemande. L'éclectisme de Victor Cousin le ravit. Comme il est toute sympathie, il est d'avis que tous les penseurs peuvent sympathiser, et qu'il n'est pour cela que de négliger tout ce qui les divise : c'est la simplicité même! Diverses influences, celle du temps et de la réflexion, à laquelle il faut joindre la mort de sa mère, l'ébranlement causé par la Révolution de Juillet, le contact avec l'Islamisme, ont contribué à le détacher de tout dogme particulier. En octobre 1835, il écrit à Virieu : « Il se fait depuis mon voyage en Orient et mes incursions dans l'histoire un grand travail de renouvellement en moi ». Ce grand travail consiste justement pour lui à faire tomber toutes les barrières, barrières entre les croyances, entre les constitutions, entre les peuples : plus de séparations, plus de limites, l'unité réalisée par l'atténuation des angles, par l'effacement des contours, par l'évanouissement des affirmations trop nettes et trop précises! Telle était, au moment où il écrit *la Chute d'un ange*, la philosophie du poète.

Si *Jocelyn* était une partie moderne de son grand poème, celle-ci nous ramène loin en arrière, à la période antédiluvienne. Il est dit dans la Genèse : « Il arriva que les enfants de Dieu, voyant que les filles des hommes étaient belles, prirent pour femmes celles d'entre elles qui leur plurent ». C'est justement ce que va faire l'ange dont Lamartine nous conte la chute; car c'est là précisément pour un ange faire la bête. L'ange Cédar s'est détourné des merveilles divines vers cette autre merveille qui lui a paru plus belle : le corps de la femme. Désormais il va être condamné à souffrir de toutes les misères de la condition humaine. A ce prix, il pourra, par une série d'expiations, remonter à sa nature première.

Donc Cédar est un ange. On s'occupait beaucoup des anges vers 1820, et surtout de leurs amours. Un des poèmes de Byron est intitulé *Ciel et Terre* (1820) et son ami Thomas Moore, que connaissait Lamartine, avait écrit les *Amours des Anges*. Ces anges, d'ailleurs, grâce à l'indécision de leur sexe, pouvaient être les uns des hommes, les autres des femmes. Dans le beau poème de Vigny, Eloa, la sœur des anges, se perd pour avoir eu pitié de Satan, comme, vers le même temps, plus d'une sœur des hommes se perdit pour avoir été dupe des beaux ténébreux dont le genre était alors à la mode.

Et Cédar parcourra des existences successives. Cette idée des existences successives est un des lieux communs qu'on retrouve un peu partout, dans les écrits de Fourrier, de Pierre Leroux, de Jean Reynaud; c'est elle encore qui inspire à Edgar Quinet *Ahasverus*, la légende de l'homme qui ne meurt pas, et à Eugène Sue son fameux roman *le Juif Errant*. Le dogme chrétien de la chute s'y concilie, tant bien que mal, avec la théorie philosophique du progrès. Cédar, c'est le dieu tombé; il expie par la souffrance, sort meilleur de chaque épreuve, et personnifie ainsi l'humanité tout entière qui s'avance sur la route d'un progrès continu.

La Chute d'un Ange contient deux parties. La première se passe dans la tribu pastorale des bords de l'Oronte; la seconde chez les Titans de la fantastique cité de Babel. La première est une sorte d'idylle énorme; la seconde est une sorte de mélodrame effrayant, ou qui veut l'être.

Avec une fantaisie un peu bien libre, mais cent fois préférable à l'étalage d'une vaine et assommante érudition, le poète imagine un tableau de la vie pastorale. Cédar, enfermé dans la Tour de la faim avec Daïdha, démolit cette tour monstrueuse comme un enfant démolit un château de cartes, emporte Daïdha et les deux fils qu'elle lui a donnés, et se sauve avec sa famille sur le sommet du Liban. C'est alors une idylle qui n'est pas trop indigne du génie de Lamartine :

Nous nous arrêterons, se disaient-ils entre eux,
Aux lieux où le bonheur sera plus savoureux,
Aux bords où l'oiseau bleu va reposer ses ailes;
Nous apprivoiserons les petits des gazelles,
Pour jouer sur la feuille avec nos deux jumeaux;
Nous irons dérober des œufs sous les rameaux,
Nous aurons pour demeure une grotte de marbre,
Fermée aux eaux du ciel, ou le tronc creux de l'arbre,
Dont les vastes rameaux vers le ciel repliés
Des cheveux de sa tête enveloppent ses piés.
Nous serons bons à tous, et, pour que l'on nous aime,
Nous ferons alliance avec les lions même,
Avec l'oiseau du ciel et l'insecte des champs.

C'est la première partie; voici la seconde. Tandis que Cédar et Daïdha, sur la cime du Liban, écoutent sans défiance le langage inspiré du vieillard Adonaï, un navire aérien — un ballon dirigeable — descend, les enlève, et les transporte à Babel dans la cité des Titans :

Tantôt la nue en eau semblait les enfermer;
Comme un vaisseau qui sombre aux gouffres de la mer,
Ils fendaient, engloutis, ces ténèbres palpables;
L'écume des brouillards ruisselait sur les câbles....
Tantôt sortant soudain de la mer des nuages,
Les étoiles semblaient pleurer sur leurs visages;
Puis au branle orageux des ondulations,
De constellations en constellations,

Les étoiles fuyant au-dessus de leurs têtes,
Couraient comme le sable au souffle des tempêtes....
A mesure qu'au but la voile s'avançait,
Des teintes du matin le ciel se nuançait.
Déjà comme un lait pur qu'un vase sombre épanche
La nuit teignait ses bords d'une auréole blanche,
Les étoiles mouraient là-haut comme des yeux
Qui se ferment, lassés de veiller dans les cieux....
Ils virent à leurs pieds, perçant l'obscurité,
Ce globe pâlissant surgir des ombres vagues :
Comme une île au matin qu'on voit monter des vagues.
C'était la terre avec les taches de ses flancs,
Les veines des flots bleus, ses monts aux cheveux blancs,
Et sa mer qui, du jour se teignant la première,
Éclatait sur sa nuit comme un lac de lumière.

Les Titans sont des sortes de dieux très méchants qui ont réussi à asservir la multitude et qui, régnant par la terreur, se vautrent dans toutes les voluptés. Ces tyrans sont néroniens et sadiques. Au banquet où ils sont attablés éternellement, l'ivresse des sens est multipliée par un système de décoration très particulier; car les colonnes du palais sont vivantes, les tapis sont des chevelures, les lits et les oreillers sont des corps de femmes. Pour récréation, ils s'offrent le spectacle de la souffrance physique et morale, en faisant jouer devant eux, au naturel et réellement, de sinistres pantomimes. Daïdha deviendra le jouet de ces tyrans et ce sera pour Cédar une forme nouvelle de la souffrance.

Lamartine avait une espèce d'incapacité à peindre le mal, ce qui fait l'éloge de la beauté de son âme : cette dernière partie de son poème est de beaucoup la moins réussie ou la plus complètement manquée. Car il est de mode aujourd'hui de considérer *la Chute d'un Ange* comme le chef-d'œuvre de celui qui a écrit *les Méditations*, *les Harmonies* et *Jocelyn*. Cette manie l'eût fort étonné et, j'en suis sûr, irrité. N'ayons pas d'autre avis que le sien, qui fut également celui de tous les contemporains. Ce poème énorme et baroque, interminable et fastidieux, est une erreur — colossale, si l'on veut — mais une erreur.

Seulement Lamartine ne peut s'empêcher d'avoir du génie.

Entre les deux parties de *la Chute d'un Ange*, il a placé un chant intermédiaire, la *Huitième vision*, qui est à lui seul tout un poème et un véritable chef-d'œuvre, absolument comme l'épisode des *Laboureurs* dans *Jocelyn*. Sur le sommet du Liban où ils s'étaient réfugiés, Cédar et Daïdha ont rencontré le vieillard Adonaï, et celui-ci leur a lu les fragments du *Livre Primitif*. Lamartine y expose toute sa philosophie. Peut-être n'y a-t-il jamais eu dans notre langue un effort plus considérable et plus heureux pour exprimer en vers un système. Le poète commence par donner de Dieu une définition qui, avouons-le cette fois, n'a guère de rapport avec celle du christianisme. Ce Dieu n'est pas distinct de la création; il s'identifie avec elle et se fond dans la nature :

C'est un flux et reflux d'ineffable puissance,
Où tout emprunte et rend l'inépuisable essence,
Où tout rayon remonte à son foyer commun,
Où l'œuvre et l'ouvrier sont deux et ne font qu'un!
Où la force d'en haut, vivante en toute chose,
Crée, enfante, détruit, compose et décompose;

S'admirant sans repos dans tout ce qu'il a fait,
Renouvelant toujours un ouvrage parfait;
Où le tout est partie et la partie entière,
Où la vie et la mort, le temps et la matière,
Ne sont rien en effet que formes de l'esprit;
Cercles mystérieux que tout en lui décrit,
Où Jéhovah s'admire et se diversifie
Dans l'œuvre qu'il produit et qu'il s'identifie.
. . . .

Pour un tel Dieu, pas de temples et pas de prêtres :

Ne renfermez pas Dieu dans des prisons de pierres,
Où son image habite et trompe vos paupières,
De peur que vos enfants, en écartant leurs pas,
Disent : il est ici, mais ailleurs il n'est pas.

L'homme est un composé de deux natures; son âme est immortelle. Tout meurtre est impie; il faut donc adopter le système végétarien, abolir la peine de mort et supprimer la guerre. La fraternité universelle se concilie avec l'idée de famille, non avec celle de patrie :

Vous n'établirez pas ces séparations
En races, en tribus, peuples ou nations;
Et quand on vous dira : Cette race est barbare,
Ce fleuve nous limite ou ce mont nous sépare,
Dites : Le même Dieu nous voit et nous bénit,
Le firmament nous couvre et le ciel nous unit.

Pas de villes : tout le monde habitera à la campagne. Vous serez doux pour les animaux. Pas de gouvernements, ni de tribunaux ! Et tout sera pour le mieux dans un monde devenu le meilleur....

Nous n'avons pas à discuter cette philosophie

qui d'ailleurs est suffisamment connue et sur laquelle chacun a son opinion faite. Il nous suffit de constater que les idées exprimées dans le *Livre Primitif* sont fortement liées. C'est, au résumé, un système de philosophie en vers où le christianisme apparaît déformé par les idées du XVIIIe siècle. Et les vers sont magnifiques.

La versification, dans *la Chute d'un Ange*, est très différente, non seulement de celle des *Méditations* et des *Harmonies*, mais de celle même de *Jocelyn*. C'est pourquoi Lamartine a pu être loué pour cette partie de son œuvre par des poètes de tendances exactement opposées aux siennes, tels que Leconte de Lisle, et servir de modèle à Victor Hugo pour *la Légende des siècles*.

VI

LES *RECUEILLEMENTS*

Et le génie du poète n'avait pas dit son dernier mot. Les *Recueillements* sont une des plus belles parties de l'œuvre de Lamartine, et une des plus méconnues. Ils passèrent inaperçus. Pourquoi? Cela est facile à expliquer. Plus Lamartine grandissait comme orateur et comme homme politique, moins on était disposé à le compter encore au nombre des faiseurs de vers. Aussi bien, on était au lendemain du complet échec subi par *la Chute d'un Ange*. On n'imaginait pas qu'il pût s'en relever. On ne fut pas injuste pour les *Recueillements*; on ne pensa pas à y faire attention.

Ce sont des vers écrits à l'automne de la vie, comme à l'automne de l'année : ils en reflètent les émotions, ils en expriment les pensées. Parvenu à cet endroit de la route, si le voyageur se retourne, il la voit bordée de tombeaux. Quelques-uns ont succombé de ceux qui étaient partis en même temps que nous, d'autres tellement plus jeunes! et qui auraient dû nous survivre :

> A ce chœur joyeux de la route
> Qui commençait à tant de voix
> Chaque fois que l'oreille écoute,
> Une voix manque chaque fois !

Morte cette duchesse de Broglie, une sainte apparue sur la terre ; le poète la voit au séjour des bienheureux et la célèbre en un *Cantique*, une des plus belles choses et des plus religieuses qu'il y ait dans notre poésie. Mort ce Louis de Vignet, un ami des premières années, âme toujours en deuil, embuée d'une mélancolie native. Morte Julia, cette fille du poète, dont l'enfance était parée de tant de grâces et qui laisse deux cœurs dévastés ! C'est là cette tristesse de l'âge mûr si différente de la mélancolie dont la jeunesse croit souffrir et qui n'est que l'impatience de l'avenir. Automne, hiver, combien de leurs journées pensives et froides se ressemblent à s'y méprendre !

La rêverie du jeune homme est égoïste ; combien elle paraît mesquine et frivole à l'homme instruit par la vie ! Maintenant détaché du point de vue personnel, c'est sur la misère universelle qu'il promène un regard de large pitié : c'est la plainte humaine dont il écoute et dont il renforce l'écho. Les vers *A F. Guillemardet sur sa maladie*, expriment avec force ce changement, ou plutôt cette opposition des deux manières du poète :

> Frère, le temps n'est plus où j'écoutais mon âme
> Se plaindre et soupirer comme une faible femme
> Qui de sa propre voix soi-même s'attendrit,
> Où par des chants de deuil ma lyre intérieure

Allait multipliant comme un écho qui pleure,
Les angoisses d'un seul esprit....

Ma personnalité remplissait la nature;
On eût dit qu'avant elle aucune créature
N'avait vécu, souffert, aimé, perdu, gémi;
Que j'étais à moi seul le mot du grand mystère,
Et que toute pitié du ciel et de la terre
Dût rayonner sur ma fourmi!

. . . .

Puis mon cœur insensible à ses propres misères
S'est élargi plus tard aux douleurs de mes frères;
Tous leurs maux ont coulé dans le lac de mes pleurs
Et comme un grand linceul que la pitié déroule,
L'âme d'un seul, ouverte aux plaintes de la foule,
A gémi toutes les douleurs.

Le christianisme élargi et vague dont le poète fait encore profession se confond avec la religion de l'humanité. Cette humanité, il en suit le développement à travers les temps ; il la voit s'efforcer douloureusement vers le mieux. Elle est divisée en nations et en confessions. Ç'a été son malheur. Mais les temps sont venus de la réconciliation. Comme ces Gallois et ces Bretons qui retrouvent leur commune origine, les peuples se souviennent qu'ils sont frères :

L'homme n'est plus Français, Anglais, Romain, Barbare,
Il est concitoyen de l'empire de Dieu!

Et le poète, dans *Utopie*, se plaît à contempler l'image de l'humanité telle qu'elle sera quelque jour, parvenue enfin au terme de son évolution. En cet âge d'or, placé non plus en arrière, mais devant nous, les hommes ne vivront plus dans des villes, ces « étables des nations », mais en pleine nature. Vainqueurs de la matière, ils n'auront plus qu'une occupation qui sera de penser. Plus de religions; mais une religion assez vaste et assez simple pour les contenir toutes. Plus de dogmes ni de mystères, mais la clarté de l'évidence et l'évidence du sentiment. Ce sera la félicité universelle. Nous en sommes loin sans doute; mais nous avons devant nous les siècles. Nous pouvons attendre, et dans le calme que donne la certitude; car ce qu'on appelle chimère, utopie, c'est l'instinct mystérieux de l'humanité collective : il ne se trompe pas.

> Élargissez, mortels, vos âmes rétrécies!
> O siècles, vos besoins ce sont vos prophéties!
> Votre cri de Dieu même est l'infaillible voix.
> Quel mouvement sans but agite la nature?
> Le possible est un mot qui grandit à mesure
> Et le temps qui s'enfuit vers la race future
> A déjà fait ce que je vois.

A cet ordre d'inspiration il faut rapporter *la Marseillaise de la paix*, qui est de 1841 : c'en est le dernier mot et l'expression la plus complète. Ce qu'il y a de généreux et d'illusoire dans ce vain optimisme, n'avait jamais été mis dans une aussi éblouissante lumière. Dans le même temps qu'il en était le héraut à la tribune, Lamartine a été le poète de l'humanitarisme. Redisons-le donc : quand on tiendrait cette doctrine pour la plus dangereuse et la plus coupable des folies, il reste que Lamartine lui a prêté un langage incomparable. Il a été le créateur de cette poésie à visées sociales qui ne s'est jamais exprimée avec plus d'éloquence, plus d'élévation et d'éclat.

Ne quittons pas les *Recueillemens* sans signaler,

parmi les pièces qu'y ajouta l'auteur, celle qui est intitulée : *Un nom*. Il y évoque l'image d'une enfant qu'il a aimée, et, pour la peindre, il trouve des couleurs, et dans ces couleurs, des nuances dont aucune palette n'avait encore atteint la finesse et la subtile précision :

Son teint calme et veiné des taches de l'opale
Comme s'il frissonnait avant la passion,
Nuance sa fraîcheur des moires d'un lys pâle
Où la bouche a laissé sa moite impression !

Comme au sein de ces nuits sans brumes et sans voiles
Où dans leur profondeur l'œil surprend les cieux nus,
Dans ses beaux yeux d'enfant, firmament plein d'étoiles,
Je vois poindre et nager des astres inconnus.

La versification, comme le style, est ici tout à fait neuve. Par sa plénitude et par sa sonorité elle annonce celle des parnassiens : il n'est pas jusqu'à cette recherche un peu maladive de la nuance qui n'y soit un signe d'extrême raffinement dans l'art.

VII

L'ORATEUR

Pour le lecteur d'aujourd'hui toute la gloire de Lamartine est dans son œuvre poétique. Il ne faut cependant pas oublier qu'il écrivit énormément en prose, et qu'il n'eut jamais pour sa prose le dédain qu'il affectait pour ses vers.

Au moment où il arrive à la Chambre des députés, il n'est encore et exclusivement qu'un poète. Il n'a rien écrit en prose, sauf un discours de réception à l'Académie, une préface pour les *Méditations*, la brochure sur *la Politique rationnelle*, et les notes qui deviendront *le Voyage en Orient*. Ce sont les nécessités de la tribune qui forceront Lamartine à se dégager de la forme poétique et à couler sa pensée dans un moule nouveau pour lui. On peut donc dire que c'est l'orateur qui a éveillé chez Lamartine le prosateur.

A l'en croire, sa véritable vocation était pour l'éloquence. Il avait le « don » et, cette fois, il ne nie pas qu'il y ait ajouté le travail. Ses lettres sont pleines de confidences témoignant de l'effort qu'il fait pour arriver à posséder entièrement ce talent de l'improvisation qui pour lui est tout l'art de la parole. On a nié que Lamartine improvisât. M. Émile Ollivier, au contraire, tient que c'était son talent principal et sa marque. Après avoir constaté que « Lamartine orateur était grave plus qu'ému, solennel plus que pathétique », il s'empresse d'ajouter : « Par-dessus tout, il possédait la qualité supérieure de l'éloquence, il était improvisateur ».

Il n'est que de s'entendre. L'improvisation de Lamartine est une improvisation très préparée, très méditée. L'orateur étudie son sujet, ordonne dans sa tête ses arguments et se parle à lui-même ses développements. Il consigne sur une feuille de papier le plan, les phrases et les mots essentiels. Ce sont ces notes qu'il apporte à la tribune et à l'aide desquelles il parle, laissant aux trouvailles du moment à compléter ce qu'il a préparé. Le désir de se référer au texte rédigé dans sa tête explique cette contention qu'avait Lamartine dans sa parole, un certain air guindé que lui reprochaient ses adversaires, un peu de froideur. Mais il avait la haute distinction, l'élégance, l'ampleur. On l'écoutait avec déférence; on l'applaudissait. On était étonné ensuite du peu d'action qu'exerçait sa parole. D'autres en effet ont agi plus fortement sur les assemblées et laissé un plus grand renom d'éloquence; seulement leurs discours sont devenus illisibles. On peut relire les discours de Lamartine, et on y trouve toujours à admirer. On a dit qu'un discours de Lamartine était un événement littéraire, mais que ce n'était pas un événement politique. La formule est excellente. Lamartine est du très petit nombre des orateurs politiques dont l'éloquence fait partie de la littérature.

C'est d'abord qu'il ne s'enferme pas dans le seul exposé des faits. Il les vivifie par les idées. Ses discours foisonnent de ces lieux communs qui sont le fond de la pensée humaine : *Sur le progrès. Sur la liberté. Sur la peine de mort. Sur les lettres et les sciences.* Arago, dans la séance du 24 mars 1837, avait préconisé « la prédominance de l'enseignement scientifique ». Lamartine lui répond : « Si toutes les vérités mathématiques se perdaient, le monde industriel, le monde matériel subiraient sans doute un grand dommage, un immense détriment; mais si l'homme perdait une seule des vérités morales dont les études littéraires sont le véhicule, ce serait l'humanité tout entière qui périrait ». Ce discours, à la date où nous sommes, n'a rien perdu de sa justesse ni de son actualité.

D'autre part, la pensée de Lamartine ne se limite pas au présent. Elle évolue à travers l'histoire, évoque les souvenirs du passé, anticipe sur l'avenir. Ainsi dans les deux discours sur les fortifications, l'orateur rappelle les exemples de la Convention et la journée du 31 mai, et il s'écrie :

« Quoi? Paris fortifié! Paris ville de guerre! Paris dominé par vingt forts! Paris cerné par 2400 canons servis par dix ou douze mille canonniers d'une milice quelconque! Paris citadelle de la France! Paris dans un tel état serait le dernier asile que la liberté voudrait habiter! Mais vous fermez donc les yeux! Quoi! C'est une telle ville que vous offrez pour sûreté aux représentants de quatre-vingt-cinq départements dans les jours de crise! C'est là qu'ils délibéreront libres et inviolables sous la gueule de deux cents bouches à feu dont une population affamée et ombrageuse tiendra la mèche!... Comment dans une ville entourée d'ennemis, sans communications avec les départements, contiendrez-vous une masse de deux ou trois cent mille prolétaires sans travail? Comment contiendrez-vous le moral d'une population placée dans des conditions de turbulence et d'émotion pareilles? Quel sera le gouvernement, la force publique qui pourront y résister? »

Paroles qui semblaient annoncer le Paris de la Commune succédant au Paris du siège.

Pareillement prophétique le discours à propos de la translation des cendres de Napoléon :

« Quoiqu'admirateur de ce grand homme, je n'ai pas un enthousiasme sans souvenir et sans prévoyance. Je ne me prosterne pas devant cette mémoire; je ne suis pas de cette religion napoléonienne, de ce culte de la force que l'on veut depuis quelque temps substituer, dans l'esprit de la nation, à la religion sérieuse de la liberté. Je ne crois pas qu'il soit bon de déifier ainsi sans cesse la guerre, de surexciter ces bouillonnements déjà trop impétueux du sang français qu'on nous représente comme impatient de couler après une trêve de vingt-cinq ans, comme si la paix qui est le bonheur et la gloire du monde pouvait être la honte des nations! Prenez garde de donner une pareille épée pour jouet à un pareil peuple! »

La forme de ces discours est d'un magnifique éclat. La période se déroule, ample, harmonieuse. Des images superbes et simples, inattendues et pourtant naturelles, éclairent soudain tout un développement. Ou encore des formules inoubliables le résument : « La France s'ennuie ».... « Le parti des bornes.... » Cela explique que cette éloquence ait été plus goûtée hors du Parlement qu'à la Chambre : « J'ai l'instinct des masses », disait Lamartine. Le fait est que la foule aime les mots qui font image, les grandes envolées, un certain lyrisme de la parole. Elle est sensible aux qualités proprement littéraires de l'éloquence.

VIII

L'HISTORIEN ET LE JOURNALISTE

L'éloquence mène Lamartine à l'histoire ou plutôt l'histoire n'est pour lui qu'une suite et une autre forme de l'éloquence. C'est à ce point de vue qu'il faut se placer pour apprécier son *Histoire des Girondins* : elle continue — et elle renforce — son action oratoire. Les circonstances dans lesquelles il entreprend de l'écrire le montrent surabondamment.

Lamartine, en 1843, est un mécontent; il a passé brusquement à l'opposition; et dans l'opposition il ne trouve pas la place qu'il ambitionne, la première. Désespérant d'obtenir par la parole l'influence qu'il souhaite, il recourt à un autre moyen, qui est de remuer l'opinion en réveillant chez elle la foi aux principes de la Révolution. Son objet est donc un objet d'application immédiate; c'est le contraire même du désintéressement qu'exige la véritable méthode historique. Il veut, sous d'autres noms et dans un autre cadre, présenter au public sa propre politique. Tel sera en effet le double caractère de son récit : *oratoire* et *lyrique*.

Non certes que Lamartine ait rien négligé pour faire une œuvre vraiment historique. Il procède, comme toujours, avec une entière bonne foi. D'abord, il se documente, autant du moins que pouvait le faire, à une époque moins férue d'érudition que la nôtre, un écrivain abordant sans préparation les recherches savantes. Il utilise les histoires antérieures à la sienne, celles de Thiers et de Mignet, et les compilations telles que le recueil de Buchez et Roux, où se trouve découpé *le Moniteur*. Il demande des communications sur des points de détail. Il s'enquiert de la tradition orale et consulte les survivants du grand drame : il aima toujours mieux s'instruire en causant et en regardant qu'en lisant. Il se peut qu'il ait fait ce travail à sa manière, qui était rapide et sommaire; il l'a fait en toute conscience.

Mais, une fois les matériaux ainsi recueillis, il s'en considère comme le maître. Non seulement il les altère sans le faire exprès, en y transportant ce génie de l'inexactitude qui est en lui, mais il y a mieux : il s'en sert comme d'un point de départ; il est persuadé que les documents sont tout juste des indications propres à le mettre sur la voie et que son imagination ainsi dirigée peut retrouver directement la vérité. Ils sont l'occasion pour lui de manifester sa faculté d'intuition.

C'est ainsi qu'il recompose, à mesure qu'il les

rencontre, les grandes scènes et les tableaux de la Révolution. Il les montre comme il les voit, choisissant parmi les faits ceux qui s'accordent avec sa vision personnelle, écartant les autres, groupant ces traits autour de son idée qui agit à la manière d'une idée créatrice.

Son lyrisme éclate aussi bien dans la façon dont il présente les personnages et dans la conduite de son sujet. Dans cette histoire, où il ne cesse d'être présent de sa personne, il ne juge les acteurs que par une secrète comparaison avec lui-même. Le portrait du protagoniste est toujours, sous divers noms, le portrait de l'auteur peint par lui-même. Il s'est d'abord miré dans Mirabeau, puis dans Vergniaud : « Ses traits majestueux et calmes annonçaient le sentiment de sa puissance. Aucune tension ne les contractait. La facilité, cette grâce du génie, assouplissait tout en lui : talent, caractère, attitude.... Sa phrase avait les images et les harmonies des plus beaux vers. S'il n'avait pas été l'orateur d'une démocratie, il en eût été le philosophe et le poète. Son génie, tout populaire, lui défendait de descendre au langage du peuple, même en le flattant. Il adorait la Révolution comme une philosophie sublime qui devait ennoblir la nation tout entière sans faire d'autres victimes que les préjugés et la tyrannie. Il avait des doctrines et point de haines, des soins de gloire et point d'ambition. Le pouvoir même lui semblait quelque chose de trop réel, de trop vulgaire pour y prétendre. Il le dédaignait pour lui-même et ne le briguait que pour ses idées. La gloire et la postérité étaient les deux seuls buts de sa pensée.... » Est-ce de Vergniaud qu'il s'agit, est-ce de Lamartine?

Pour héros Lamartine a choisi les Girondins; c'est qu'il croyait reconnaître sa propre politique dans leur politique. Il les admirait parce qu'ils étaient éloquents et qu'il les croyait libéraux, généreux et braves. Chemin faisant, il s'aperçoit qu'ils n'étaient ni moins intéressés, ni moins égoïstes, ni moins sectaires que ceux qui les ont renversés; ils ont été seulement moins habiles et plus timides. Cette découverte faite, il les abandonne; il change de héros en cours de route et finit par se ranger du côté des Montagnards. C'est ainsi qu'il est amené à faire de Robespierre un portrait qui étonne et détonne :

« La vie de Robespierre portait témoignage du désintéressement de ses pensées; cette vie était le plus éloquent de ses discours. Sa pauvreté était méritoire, car elle était volontaire. Objet de tentatives nombreuses de corruption de la part de la cour, du parti de Lameth et du parti girondin, pendant les deux assemblées, il avait eu tous les jours sa fortune sous la main : il n'avait pas daigné l'ouvrir. Appelé par l'élection ensuite aux fonctions d'accusateur public et de juge à Paris, il avait tout repoussé, tout résigné, pour vivre dans une pure et fière indigence. »

L'auteur s'est d'abord mis dans son œuvre; après

quoi, son œuvre a déteint sur lui et l'a converti L'œuvre est ainsi deux fois personnelle. Dénuée de toute valeur historique, elle a été, à l'époque où elle parut, le plus entraînant des pamphlets.

Son éloquence, qui avait fait de lui l'historien qu'il a été, devait faire encore de Lamartine un journaliste, et souvent admirable. Qu'il nous suffise de parcourir la collection du *Conseiller du Peuple* fondé au mois de mars 1849, et qui devait durer jusqu'au 2 décembre 1851. C'était une brochure paraissant tous les mois et divisée en deux parties : une première contenant des articles de doctrine sur la politique intérieure et sur la politique extérieure exclusivement rédigés par Lamartine; une deuxième intitulée : *Almanach politique*, où les événements étaient passés en revue et commentés.

Ce qui frappe, tout de suite, c'est l'abondance et la variété des sujets que traite Lamartine. Droit constitutionnel, économie politique, droit pénal, finances, questions militaires, diplomatie, il n'est rien qui lui soit étranger, rien qu'il ne se sente en état d'aborder. Pour tous les problèmes, il a une solution prête. C'est la caractéristique même du journaliste : l'aptitude, ou, si l'on préfère, l'assurance à discuter les questions les plus diverses. Il y était servi par une remarquable faculté d'assimilation et aussi par la souplesse et la redoutable imprécision de son style.

Tous ses articles ont un même tour, qui est le tour oratoire. A les lire, il semble qu'on ait sous les yeux le texte de discours prononcés à la tribune. Procédés d'argumentation, transitions, mouvements, tout y est d'un orateur.

Aussi bien les meilleurs de ces articles présentent-ils une des principales qualités des discours de Lamartine. De même que Lamartine orateur excelle à dégager une question de ce qui l'enferme dans l'actualité, de même Lamartine journaliste sait la traiter du point de vue de tous les temps. Relisez, par exemple, une page sur le danger créé par l'instituteur. Lamartine qui a vécu à la campagne, dans son coin de Bourgogne, sait quel personnage peut être, dans un milieu d'illettrés, l'instituteur. Et justement il s'inquiète — en 1849, déjà ! — de ce pouvoir qu'a un mauvais instituteur pour répandre autour de lui les idées les plus nuisibles : « Les instituteurs communaux, écrit-il, sont devenus dans plusieurs départements des fomentateurs de haine, de division, de discordes, d'exécrables passions, de stupides doctrines anti-sociales entre les classes de citoyens. Ils se sont laissé séduire comme des hommes sans jugement, ou entraîner comme des hommes sans conscience et sans moralité à toutes les absurdités prétendues *sociales* et à toutes les perversités prétendues *démocratiques* que les factions socialistes, communistes, terroristes et démagogiques ont voulu semer dans l'esprit du peuple pour le pervertir, pour faire de la propriété un crime, de la République une anarchie, de la société un chaos.... Ils se sont faits les missionnaires de cette nouvelle religion qui consiste à nier Dieu, à diviniser la nature, à adorer le plus brutal sensualisme, à renverser les autels, à arracher les bornes des champs, à supprimer la famille.... Ils se sont institués les grands prêtres de ce culte de démolisseurs... »

C'est en matière de politique extérieure que Lamartine est un journaliste incomparable. L'ancien diplomate, le ministre des Affaires étrangères de la seconde République qui avait, en 1848, rédigé l'admirable « manifeste aux puissances » apporte dans ces questions, avec une rare compétence, un tact et une largeur de vues qui contrastent avec notre habituelle indifférence à tout ce qui se passe hors de nos frontières. Là encore, il est exceptionnellement clairvoyant. A une époque où on était aveugle aux menaces que devait faire peser sur la France une Allemagne unifiée et forte, il a eu le mérite de signaler le péril : « Si vous armez pour encourager la Prusse à tirer l'épée contre l'Autriche, écrivait-il en décembre 1850, vous refaites l'unité allemande, la plus funeste invention contre la France que le génie des chimères ait pu concevoir pour vous rapetisser, en grandissant une seule Allemagne. » On voit comment l'orateur, l'historien, le journaliste se complètent et ne font qu'appliquer à d'autres sujets le lyrisme du poète.

IX

LES DERNIÈRES ŒUVRES

Mais le poète a décidément fait place au prosateur; et, ce qui le prouve bien, c'est en prose qu'il traduira désormais ce qui naguère avait fait la matière de sa poésie. Les souvenirs de son enfance lui avaient inspiré *les Préludes* et *Milly*; la figure de Graziella était apparue dans *le Passé* et dans *le Premier regret*; l'odyssée de l'abbé Dumont était devenue *Jocelyn*. Ce sont précisément les épisodes qui vont composer *les Confidences*.

On sait comment, depuis la fin du XVIIIe siècle, s'est établi, pour les écrivains, l'usage de se raconter eux-mêmes. Ces autobiographies sont, la plupart du temps, des panégyriques ou des plaidoyers, où la vérité est volontairement altérée. Rien de semblable chez Lamartine. Témoin dans sa propre histoire, il n'a pas cherché à nous tromper. Toutefois il n'a pas cru non plus qu'il fût, dans un tel sujet, tenu à une exactitude rigoureuse. Il nous a conté sa jeunesse telle qu'elle lui apparaissait à distance, après que le temps avait fait son œuvre, qui consiste toujours à simplifier et à épurer. Il était à cet âge où le regret que nous avons de notre jeunesse lui prête une séduction singulière. Nous y découvrons un charme que nous nous reprochons secrètement de n'avoir pas su reconnaître quand nous pouvions en jouir. Nous nous y revoyons tels que nous aurions voulu être. Lamartine, loin de s'en défendre, s'est prêté à ce sentiment nostalgique. Sous cette influence, il a tout idéalisé.

Ce sont autant de tableaux, faits de détails réels, mais composés, arrangés d'après une idée dominante et fondus dans une teinte qui en parfait la signification. De son enfance passée dans le vallon de Milly sous les regards d'une mère attentive et tendre, il avait conservé une impression de fraîcheur et de pureté : avec ses souvenirs, il compose une idylle dont il est lui-même le héros. Milly fournit le cadre champêtre; le père a mine de patriarche; la mère, les sœurs, sont toute bonté, toute beauté, comme il convient à des personnages d'idylle. Nul plus que Lamartine lui-même ne bénéficie de ce parti pris d'universel d'optimisme : « J'étais alors un des plus beaux enfants qui aient jamais foulé de leurs pieds nus les pierres de nos montagnes où la race humaine est cependant si saine et si belle ». Pas une ombre au tableau, pas une tristesse, pas une rudesse. Que deviennent les brusqueries, les violences, les révoltes de l'enfant difficile à conduire? Elles disparaissent dans l'atmosphère idyllique qui ne les comporte pas. Son premier amour pour une petite bourgeoise de Mâcon devient le délicieux épisode de Lucy L. avec la fraîcheur de son rêve ossianique et brumeux, et son rendez-vous dans la nuit à la douteuse clarté de la lune. La plus médiocre aventure de jeunesse, dont il semble qu'il ait, à l'époque, compris la banalité et l'insignifiance, devient un roman d'amour entre deux jeunes gens, presque deux enfants. La cendrillon napolitaine, touchée par la baguette de l'écrivain, se change en la fille ingénue et sauvage du pêcheur de Procida. Très habilement, et pour remédier à la pauvreté de l'analyse des sentiments en un pareil sujet, il donne une grande valeur au décor, choses de la mer, couleur italienne, pittoresque à la Léopold Robert. Le souvenir de Paul et Virginie est ici tout voisin; et c'est à dessein que Lamartine l'a évoqué. Dans la maison du pêcheur, il lit à la pauvre famille assemblée la naïve et brûlante idylle de Bernardin de Saint-Pierre : « Avant que je fusse arrivé au milieu de l'histoire, la pauvre enfant avait oublié sa réserve un peu sauvage avec moi. Je sentais la chaleur de sa respiration sur mes mains. Ses cheveux frissonnaient sur mon front. Deux ou trois larmes brûlantes tombées de ses joues tachaient les pages tout près de mes doigts. » L'enfant assistait à l'éveil de son âme et l'aventure d'une autre lui révélait ses propres sentiments. C'est une autre Virginie en effet, plus rustique, plus près de la nature, plus impulsive. Pour la rendre plus touchante, Lamartine en a fait une victime de l'égoïsme masculin ; il a imaginé qu'elle était morte prématurément. De même, tout ce que nous savons du curé de Bussières nous le fait tenir pour un assez pauvre homme, sur qui, il est vrai, couraient dans le pays de méchants bruits ; il va devenir un penseur discutant avec Lamartine les grands problèmes, achevant dans le recueillement une existence commencée par le roman. C'est ainsi que l'illusion modifie sans cesse le souvenir. *Les Confidences* sont-elles davantage une autobiographie romancée ou un roman personnel? En tout cas elles continuent la veine lyrique du poète retraité dans la prose.

Veut-on saisir du reste toute la différence entre l'illusion qui idéalise êtres et choses et le parti pris qui les fausse, il n'est que de comparer *les Confidences* et *Raphaël*. Poursuivant le chemin de sa vie, Lamartine arrive à l'épisode d'Aix. Il s'agit, cette fois, tout en contant une histoire de passion, de l'innocenter. Le conteur est gêné. Au lieu d'une idylle enfantine, il s'agit d'un roman dont l'héroïne a trente-deux ans. Nous voudrions reconnaître ici la vérité humaine et l'exacte psychologie. Lamartine y a substitué une convention qui nous laisse déçus. Il l'a compris lui-même et il l'a reconnu. Dans le *Cours familier de littérature*, venant à parler du *Lys dans la vallée* de Balzac, et par un de ces retours sur lui-même dont il avait l'habitude, il ajoute : « Cela me ressemble quand, voulant associer l'hypocrisie du monde au délire de la passion, j'écrivis ce livre à moitié vrai, à moitié faux, intitulé

Raphaël. Le public se sentit trompé et m'abandonna. Je l'avais mérité : la passion est belle, mais c'est à la condition d'être sincère. Ou renoncez à peindre l'amour, ou sacrifiez-le à la vertu. » Ce sacrifice, Lamartine ne s'est pas résigné à le faire : cela a gâté son livre.

Du roman personnel au roman humanitaire la transition à cette époque était aisée. Et le passage avait été effectué par d'autres, notamment par George Sand. Aux alentours de 1848, la littérature s'occupait beaucoup de l'ouvrier, de ce qu'il était, de ce qu'il devrait être. Lamartine suivit le mouvement. Déjà, dans *Jocelyn*, en maint endroit, il avait tracé des tableaux de la vie du peuple. Dans ses romans populaires, cette peinture de l'existence quotidienne des humbles tient toute la place. Le sujet de *Geneviève*, c'est la vie d'une pauvre fille qui, pour sauver l'honneur de sa sœur, s'est faite servante. Le roman vaut par une sympathie vraie, par un réalisme ému. On en a retenu un morceau qui méritait de devenir célèbre, l'admirable prière de la servante, chef-d'œuvre de noblesse et de simplicité : « Mon Dieu, faites-moi la grâce de trouver la servitude douce et de l'accepter sans murmure, comme la condition que vous nous avez imposée à tous en nous envoyant dans le monde. Si nous ne nous servons pas les uns les autres, nous ne servons pas Dieu, car la vie humaine n'est qu'un service réciproque. Les plus heureux sont ceux qui servent leur prochain sans gages, pour l'amour de vous. Mais nous autres, pauvres servantes, il faut bien gagner le pain que vous ne nous avez pas donné en naissant. Nous sommes peut-être plus agréables encore à vos yeux pour cela, si nous savons comprendre notre état; car, outre la peine, nous avons l'humiliation du salaire que nous sommes forcées de recevoir pour servir souvent ceux que nous aimons. Nous sommes de toutes les maisons, et les maisons peuvent nous fermer leurs portes; nous sommes de toutes les familles, et toutes les familles peuvent nous rejeter; nous élevons les enfants comme s'ils étaient à nous, et, quand nous les avons élevés, ils ne nous reconnaissent plus pour leurs mères; nous épargnons le bien des maîtres, et le bien que nous leur avons épargné s'en va à d'autres qu'à nous. Nous nous attachons au foyer, à l'arbre, au puits, au chien de la cour, et le foyer, l'arbre, le puits, le chien nous sont enlevés, quand il plaît à nos maîtres; le maître meurt, et nous n'avons pas le droit d'être en deuil! Parents sans parenté, familières sans famille, filles sans mère, mères sans enfants, cœurs qui se donnent sans être reçus; voilà le sort des servantes devant vous! Accordez-moi de connaître les devoirs, les peines et les consolations de mon état; après avoir été ici-bas une bonne servante des hommes, d'être là-haut une heureuse servante du maître parfait! »

Comme dans *Geneviève* — et comme dans *Jocelyn* — c'est le sacrifice qui est le sujet même du *Tailleur de pierres de Saint-Point*. Claude, le tailleur de pierres, a volontairement quitté la maison maternelle et s'est contraint à vivre une rude et douloureuse existence, afin que son frère aveugle pût épouser leur cousine Denise qu'ils aiment tous les deux. Ce roman renferme peut-être encore de plus belles pages descriptives que *Geneviève* — la description du vallon de Saint-Point et celle de l'ermitage de Claude, sorte de réplique en prose du tableau de la solitude autour de la grotte des Aigles — et on ne saurait trop dire combien le sens de la vie rustique y est profond et vivant l'esprit religieux. Seulement, Claude, pour un homme taciturne, est vraiment par trop phraseur. Et, à l'entendre citer les noms de Pythagore, de Platon et de Confucius, on sent trop que ce n'est pas un artisan de village qui parle : ce tailleur de pierres n'est que le porte-parole de l'auteur.

Lamartine n'avait d'ailleurs pas en lui la faculté de création impersonnelle qui fait le romancier. Et il avait soixante ans. A cet âge, on se souvient, on se repent, on formule son expérience de la vie, on dégage la leçon des spectacles auxquels on a assisté, on donne des conseils aux générations qui viennent. C'est ce que va faire Lamartine, dans un dernier ouvrage, écrit sous le fouet de la nécessité, où il faudrait aller reprendre mainte page curieuse, piquante, émouvante.

Le *Cours familier de littérature* est une revue mensuelle dont Lamartine est le seul rédacteur.

La publication fut continuée pendant dix années;

elle comprend 128 *Entretiens*. Le plan est des moins rigoureux et le lien qui rattache un Entretien à l'autre est des plus lâches. Lamartine se propose de faire devant le public un inventaire des richesses littéraires de l'humanité. Il commence aux poèmes indiens. Il y a des Entretiens sur Dante, le Tasse, Shakespeare, comme sur Cicéron, Tacite, Aristote. Il y en a sur les beaux-arts, sur la statuaire avec Michel-Ange, sur la peinture avec Léopold Robert, sur la musique avec Mozart. Que dans cette critique, improvisée et fantaisiste, il entre souvent plus de fantaisie que de critique, cela ne fait pas de doute; qu'il y ait beaucoup de remplissage, même sans compter les citations, et énormément de fatras, comment n'en pas convenir? Mais chaque fois qu'un événement récent sollicite son attention, Lamartine s'empresse de le traiter et de laisser là son inventaire, le moins méthodique qui soit. Il s'interrompt d'analyser *Sacountala* et de commenter Tacite pour nous parler de l'écrivain qui vient de mourir, ou dont le nom vient de reparaître : Musset, Vigny, Balzac. Les funérailles de Béranger lui sont une occasion de rappeler les relations qu'il a eues avec le chansonnier. Il nous conte ce qu'il a entendu dans le salon de Mme Récamier et dans celui de Mme de Girardin. Il évoque mainte circonstance de sa vie. Le *Cours familier* est cela même, sous une forme nouvelle, plus libre, plus variée, et moins romanesque : la continuation de ses Souvenirs. Ce sont ses *Mémoires d'Outre-Tombe*, mais avec une différence essentielle. En écrivant ses Mémoires, Chateaubriand est sans cesse soucieux de l'effet à produire, et toujours préoccupé de justifier sa conduite et de magnifier ses actes. Lamartine, sans ostentation mais avec franchise, chaque fois que l'occasion s'en présente, reconnaît ses fautes et s'en accuse.

Ainsi pour son intervention, le 22 février, dans la réunion chez Odilon Barrot. Ainsi pour certaines pages des *Girondins* : « J'ai été téméraire et malheureux dans le regard jeté sur l'intérieur de la jeune reine. Rien n'autorise à lui imputer un tort de conduite dans ses devoirs d'épouse, de mère, d'amie. Tout est juste dans mon jugement sur le crime de la République à l'égard de Louis XVI ; une seule phrase m'y blesse : *il y eut une puissance sinistre dans cet échafaud*, concession menteuse à cette école historique de la Révolution qui a attribué un bon effet à une détestable cause, et qui prétend que la Terreur a sauvé la Patrie. Honte sur moi pour cette complaisance ! J'ai été indigné contre moi-même en relisant ce matin la dernière page des *Girondins* sur l'ensemble de la Révolution, et je conjure mes lecteurs de la déchirer eux-mêmes, comme je la déchire devant Dieu, devant la postérité. » Combien sont-ils qui aient la grandeur d'âme de se donner à eux-mêmes de pareils démentis, et de mettre le respect de la vérité au-dessus de leur amour-propre ?

Au contraire encore des *Mémoires d'Outre-Tombe* où l'on note une continuelle aigreur, Lamartine peut se rendre à lui-même cette justice qu'il est sans amertume : « On tordrait aujourd'hui mon cœur comme une éponge, sans qu'une goutte de haine ou même de fiel en tombât sur aucun nom vivant ». Et le fait est qu'à l'adresse même de ceux qui lui ont été le plus hostiles, son impartialité est complète. Est-ce à dire qu'il ait répandu sur l'univers entier une insipide bienveillance ? Nullement. Lui, qui n'aimait pas l'ironie, il a su très bien apercevoir les ridicules, noter les travers ; çà et là éclatent des portraits et des scènes enlevés avec une sorte de raillerie puissante. L'entretien sur Joseph de Maistre pourrait s'intituler : « Comment on devient prophète ». Que dire de cette impression d'une première entrevue avec Lamennais : « Je trouvai un petit homme presque imperceptible, ou plutôt une flamme que chassait d'un point de la chambre à l'autre le vent de sa propre inquiétude » ? Ailleurs il saura montrer le désastre de la fameuse lecture de *Moïse* à l'Abbaye au Bois et la misère de cette quête aux applaudissements.

Lorsque la critique de Lamartine se fait sévère, ce n'est pas le résultat d'une rancune personnelle, c'est le signe d'une opposition de nature et d'esthétique. Sainte-Beuve, par dépit de n'être que le plus grand critique de son temps, s'est toujours montré avare d'éloges pour les poètes et pour les romanciers. Lamartine ne marchande son admiration ni à Victor Hugo ni à Vigny, ni à Sainte-Beuve même ou Laprade, ni à Mistral dont il annonce la *Mireille* dans un *Entretien* dithyrambique. Le seul poète de qui il ait parlé en termes dédaigneux, c'est Musset : il faut dire à sa décharge qu'il ne l'avait pas lu. Lorsque, à l'occasion de la mort de celui qui avait été le poète de la jeunesse, il écrivit le *18e Entretien* consacré à la *Littérature légère* et qui commence ainsi : « Vive la jeunesse, à la condition de ne pas durer toute la vie ! » il est vrai, si invraisemblable que cela puisse paraître, qu'il n'avait pas lu les *Nuits* ! Il les lut dans l'intervalle de cet *Entretien* au suivant ; et celui-ci est une sorte d'amende honorable et de réparation. Quant aux Entretiens consacrés à Béranger, on s'étonne un peu qu'ils débordent d'un tel enthousiasme. Que le chantre d'Elvire ait célébré celui de Lisette, on en éprouve quelque scandale. Mais la politique les avait rapprochés. Béranger avait été le premier à tendre la main à l'auteur des *Girondins*. Leurs relations étaient devenues intimes. Il ne se passait presque pas de jour qu'ils ne s'allassent promener ensemble au Bois de Boulogne. Les passants ne reconnaissaient pas toujours l'homme de 48, triste avec son profil escarpé de vieil aigle ; mais pas un seul n'aurait manqué à saluer sous le large chapeau et les boucles de cheveux blancs qui encadraient sa face de faux bonhomme, le chansonnier national.

Ce qui nous intéresse le plus dans le *Cours familier*, — où se trouve l'admirable pièce la *Vigne et la Maison*, — c'est à coup sûr Lamartine lui-même. Nous le retrouvons avec les traits primordiaux de sa nature, mais aussi tel que la vie l'a façonné et avec les retouches de l'expérience! Cette leçon de la vie, qui prend une singulière intensité quand on la voit professée par ce grand utopiste qu'a été Lamartine, c'est une espèce de terreur que lui inspire l'esprit d'utopie. L'utopie, il l'avait touchée du doigt, il l'avait vue à l'œuvre, en 1848. Une espèce d'épouvante lui en est restée. Maintenant il n'écrirait plus *les Girondins*. Il remonte à l'origine des modernes paradoxes anti-sociaux et il la trouve dans Jean-Jacques Rousseau, contre lequel il prend nettement parti, l'accusant d'avoir inculqué à toute la bourgeoisie de France « le fanatisme de l'absurde ». C'est au même point de vue qu'il se place pour critiquer le *Chatterton* de Vigny, mais surtout les *Misérables* de Victor Hugo. La critique des *Misérables* est très nette et, en son temps, fit scandale. Victor Hugo affectait de n'y voir « qu'un essai de morsure par un cygne ». Le fait est que Lamartine a dit le mot juste sur cette « épopée de la canaille », qu'il aurait préféré voir signée d'Eugène Sue. Et il en a indiqué les dangers dans les meilleurs termes : « La plus terrible et la plus meurtrière des passions à donner aux masses, c'est la passion de l'impossible. Ne trompez pas l'homme, vous le rendriez fou et quand, de la folie sacrée de votre idéal, vous le laisseriez retomber sur l'aridité et la nudité de ses misères, vous le rendriez fou furieux. » Il ne faut prêcher au peuple ni la révolte ni la résignation, mais bien plutôt l'acceptation de la force des choses.

Ajoutons qu'on ne connaît pas vraiment Lamartine quand on ne l'a pas étudié dans ses lettres. Admirable de sincérité, cette correspondance où une grande âme se peint au jour le jour, et chaque jour suivant l'émotion de l'heure et la couleur du temps, n'est pas seulement un document d'une valeur inappréciable pour la biographie psychologique de l'homme; par sa variété, par la finesse de l'analyse personnelle, par l'abondance des idées, par l'élégante simplicité de la forme, et quelquefois par l'éloquence jaillie spontanément, elle prend une grande valeur littéraire, et, tout incomplète soit-elle, se place au premier rang de la littérature épistolaire.

Les plus intéressantes de ces lettres sont, à coup sûr, celles qui furent écrites pendant les années de jeunesse. Dans les périodes inquiètes, au cours des longues journées de rêverie, le solitaire de Milly éprouve le besoin de s'épancher, de se raconter, de confier au papier ses réflexions, ses projets, ses appréhensions et ses espoirs devant l'avenir. C'est toute sa vie intérieure, si intense, qui se projette dans ces incomparables confidences. A mesure que Lamartine trouve à dépenser sa sensibilité dans son œuvre, son activité dans les obligations grandissantes de sa vie extérieure, ses lettres se font plus rares et plus brèves. Mais il arrive que le moindre billet soit éclairé soudain par un aveu, un cri de souffrance, une trouvaille de mots. On ne l'a pas assez remarqué, Lamartine a cette qualité essentielle de l'épistolier, celle qui consiste à se mettre en harmonie avec l'état d'esprit de son correspondant. C'est pourquoi il faut mettre à part les lettres à Aymon de Virieu. C'est là que Lamartine donne de lui-même l'expression la plus complète et la plus haute. Avec ce correspondant, auquel il a fait une place unique dans sa confiance, il n'est point de sujet si intime, point de question si ardue qu'il n'aborde. Il trouve en lui un esprit capable de le comprendre; d'ailleurs, ils diffèrent d'opinion sur assez de points pour donner lieu à la discussion; la contradiction stimule la pensée de Lamartine et la contraint à se découvrir tout entière, à s'exprimer dans toute sa force. Pour un autre de ses amis, Guichard de Bienassis, seront les confidences épicuriennes. Au beau-frère de Montherot iront, soit en prose, soit même en vers gaiement improvisés, des lettres insouciantes et enjouées de bon compagnon. Les lettres à quelques femmes d'élite sont charmantes : en mademoiselle de Canonge, Lamartine a trouvé une confidente pour ces heures douloureuses où le souvenir de la tendresse maternelle nous fait un besoin d'être plaints par une femme; à Mme de Raigecourt, il s'adresse sur le ton d'une gratitude respectueuse. A la correspondance déjà publiée il manquait un chapitre : les lettres adressées par le poète à sa fiancée, puis à sa femme. Nous en avons publié quelques-unes. Par leur abandon, leur variété, leur tendresse respectueuse, elles font également honneur à celui qui les a écrites et à celle qu'il y prend pour confidente et pour conseillère.

L'influence de Lamartine a été considérable. On n'y a pas fait suffisamment d'attention parce que lui-même s'est défendu d'être un maître et un chef d'école. On ne l'a pas mesurée à sa véritable étendue, parce que d'autres se sont attribué des nouveautés dont l'initiative lui revient. Le fait est que si le XIXe siècle a eu une poésie lyrique — et c'est peut-être son plus beau titre de gloire littéraire — il le doit à Lamartine. En passant par cette âme pure et harmonieuse, les grands thèmes lyriques ont repris leur vertu, recouvré leur résonance, sont redevenus capables de variations à l'infini. De nouveau les sources de la poésie ont jailli. Ainsi tous les poètes modernes, et ceux mêmes qui semblaient le moins préparés à recueillir son inspiration, sont ses tributaires.

C'est seulement lorsqu'il s'est pénétré de la poésie nouvelle apportée par Lamartine, que Victor Hugo rompt avec la tradition du XVIIIe siècle et secoue le joug de la convention qui pèse sur les *Odes*, d'ailleurs catholiques et royalistes comme les *Méditations*. Au *Pèlerinage de Childe-Harold* il a emprunté quelques-uns des traits des *Orientales*; aux pièces politiques de Lamartine la première idée des *Châtiments*; à *Jocelyn* et à *la Chute d'un ange*, l'idée même de *la Légende des Siècles*, la poésie de l'énorme et les visions en dehors des temps. Vigny lui doit l'exemple d'une expression précise en vers des idées philosophiques. Musset, qui l'avait si allégrement raillé et de qui la *Ballade à la Lune* est une sorte de transposition ironique du *Soir*, imite les *Préludes* dans la *Nuit d'Octobre* et le *Premier regret* dans *Lucie*.

Auguste Barbier eût-il écrit *la Cavale* s'il ne s'était souvenu du *Bonaparte* des secondes *Méditations*?

Si l'on voulait établir des rapprochements de détail et relever les vers qui, à peine modifiés, sont passés dans l'œuvre des poètes les plus divers et qu'on retrouve là où on s'y attendait le moins, les citations pourraient être multipliées quasiment à l'infini. Tous les poètes du XIXe siècle ont eu la poésie lamartinienne dans les moelles.

Un filon un peu étroit et très pur, auquel on réserve parfois le privilège de représenter la poésie proprement lamartinienne, part des *Premières Méditations* et des *Harmonies*, traverse l'œuvre de Victor de Laprade et celle de Sully-Prudhomme et reparaît dans la dernière tentative de rénovation poétique à laquelle nous ayons assisté. Car lorsque, fatigués de la déclamation de Hugo ou des excès de pittoresque des parnassiens, les poètes appelés décadents ou symbolistes souhaitèrent de réintégrer dans les vers la rêverie et de rapprocher la poésie de la musique, c'est à Lamartine qu'ils se rattachaient, ramenant la poésie au point d'où, au commencement du siècle, elle était partie, pour prendre son essor. Mais, encore une fois, ce n'est là qu'un aspect particulier, le prolongement un peu étroit d'une œuvre magnifiquement riche et diverse.

On a été longtemps injuste pour Lamartine. Il n'a

pas eu seulement à subir les réactions qui toujours, et du moins pour un temps, discréditent la littérature d'hier. Mais le poète s'était fait homme politique. De toutes manières le politique nuisit au poète. Il l'entraîna dans sa déroute. C'était un vaincu; on s'était détourné de lui; le souvenir de la révélation qu'avaient apportée *les Méditations* survivant seul au naufrage d'une gloire désertée, on tenait Lamartine pour l'élégiaque monotone et monocorde auquel il avait été interdit par la nature même de son génie de dépasser la région des brumes et des rêveries mélancoliques. Ce qui caractérise au contraire Lamartine plus qu'aucun autre de ses contemporains, c'est, chez l'homme, une richesse de dons inépuisable, et c'est, chez l'écrivain, une extraordinaire puissance de renouvellement. Ses premiers vers sont un écho de la poésie galante du XVIIIe siècle et nous reportent au temps des Bernis et des Bertin, de Dorat-Cubières et de Parny. Bientôt, dégagé de cette première manière, le poète, réalisant l'œuvre vers laquelle tendait chez nous le travail de la sensibilité et de l'imagination depuis de si longues années, devient le chantre des grandes émotions de l'âme devant l'amour et la mort, devant la nature et devant Dieu. Grâce à lui, ce mouvement, qui pouvait se dissiper et s'évanouir sans avoir donné aucune œuvre durable et sans s'être inscrit dans l'histoire de la littérature, se concrète dans une forme immortelle. Maître de l'élégie, le poète échappe à son atmosphère de tristesse, pour célébrer l'amour triomphant et dire la plénitude du bonheur. Puis entrant résolument dans la voie qu'avait indiquée l'auteur du *Génie du christianisme*, il devient le poète chrétien des *Harmonies*. Cette poésie de la vie intérieure va, sous le coup des événements de 1830, se changer en poésie politique et répéter l'écho des luttes publiques. L'orateur perce dans le poète; entre l'aventure d'un lointain voyage et les premiers débats parlementaires, il trouve le moyen d'exécuter une partie des projets qu'il avait en tête et donne le modèle tout, au moins, du roman en vers. Enfin, abordant de front l'épopée, il se lance en dehors des temps, et dans une œuvre étrange s'essaie à la poésie tour à tour philosophique et apocalyptique. Désormais, chez lui l'action l'a emporté définitivement sur le rêve. Le poète cède à l'orateur qui prend place parmi les plus grands et, sans cesser d'être orateur, s'improvise historien. De l'œuvre achevée en quelques années, du roman historique ou de l'histoire lyrique, il sort un mouvement si puissant, un tel ébranlement se propage, qu'un trône en est renversé et les destinées du pays sont changées. Modérateur de cette Révolution qu'il a contribué à déchaîner, Lamartine en est bientôt, par l'effet d'une loi inéluctable, la victime. Grand encore par l'immensité de sa chute, il retrouve en lui assez de verve, de fraîcheur d'imagination, d'abondance et de ressources pour être, tour à tour, écrivain de souvenirs personnels, romancier populaire, critique, historien, journaliste.

Devant une telle puissance de génie, pensée et sensibilité, rêve et action, caractère de l'homme égal au mérite de l'écrivain, on n'hésite pas à saluer en Lamartine non seulement un des plus féconds initiateurs de notre littérature, mais un des exemplaires qui font le plus d'honneur à notre race et à l'humanité.

TABLE DES MATIÈRES

PREMIÈRE PARTIE

DEUXIÈME PARTIE

17505. — BRODARD ET TAUPIN, Coulommiers-Paris. — 7-32.